DESPERTAR

SAM HARRIS

Despertar

Um guia para a espiritualidade sem religião

Tradução
Laura Teixeira Motta

4ª reimpressão

Grafia atualizada segundo o Acordo Ortográfico da Língua Portuguesa de 1990, que entrou em vigor no Brasil em 2009.

Título original
Waking Up: A Guide to Spirituality Without Religion

Capa
estúdio insólito

Preparação
Rachel Botelho

Índice remissivo
Luciano Marchiori

Revisão
Angela das Neves
Renata Lopes Del Nero

Dados Internacionais de Catalogação na Publicação (CIP)
(Câmara Brasileira do Livro, SP, Brasil)

Harris, Sam
Despertar: um guia para a espiritualidade sem religião / Sam Harris; tradução Laura Teixeira Motta. — 1ª ed. — São Paulo: Companhia das Letras, 2015.

Título original: Waking Up: A Guide to Spirituality Without Religion
ISBN 978-85-359-2565-4

1. Espiritualidade 2. Irreligião I. Título.

15-01613 CDD-133

Índice para catálogo sistemático:
1. Evolução: Espiritualidade: Guias 133

Todos os direitos desta edição reservados à
EDITORA SCHWARCZ S.A.
Rua Bandeira Paulista, 702, cj. 32
04532-002 — São Paulo — SP
Telefone: (11) 3707-3500
www.companhiadasletras.com.br
www.blogdacompanhia.com.br
facebook.com/companhiadasletras
instagram.com/companhiadasletras
twitter.com/cialetras

Para Annaka, Emma e Violet

Sumário

1. Espiritualidade

Participei certa vez de um programa de 23 dias em meio à natureza nas montanhas do Colorado. Se o objetivo do programa era expor os estudantes a raios perigosos e a metade dos mosquitos do planeta, ele se cumpriu no primeiro dia. O que foi, em essência, uma marcha forçada por centenas de quilômetros de fim de mundo culminou num ritual conhecido como "o solo", onde finalmente nos permitiram descansar — sozinhos, à beira de um esplêndido lago alpino — durante três dias de jejum e contemplação.

Eu acabara de completar dezesseis anos, e aquela era minha primeira experiência de solidão desde que saíra do útero materno. O desafio foi suficiente. Depois de um longo cochilo e de uma olhada para as águas geladas do lago, o jovem promissor que eu imaginava ser foi rapidamente abatido pela solidão e pelo tédio. Enchi as páginas do meu diário, não com as percepções de um naturalista, um filósofo ou um místico principiante, mas com uma lista de comidas com que eu pretendia me empanturrar no instante em que retornasse à civilização. A julgar pelo estado da minha consciência no momento, os milhões de anos de evolução dos hominídeos não haviam produzido nada mais transcendental que uma fissura por cheeseburger e milk-shake de chocolate.

Considerei a experiência de me sentar, sem ser perturbado por três dias, em meio a brisas puríssimas e à luz das estrelas, sem nada para fazer além de refletir sobre o mistério da minha existência, uma fonte de indizível tormento — para o qual eu não via nem sequer uma pontinha de contribuição da minha parte. As cartas que eu mandei para casa rivalizavam, pelo tom de lamentação e autopiedade, com qualquer uma escrita em Shiloh ou Gallipoli.*

Qual não foi minha surpresa quando vários membros do nosso grupo, a maioria deles uma década mais velhos do que eu, avaliaram seus dias e noites de solidão como positivos e até mesmo transformadores. Eu simplesmente não sabia o que pensar daquelas declarações de felicidade. Como a felicidade de alguém poderia *aumentar* quando todas as fontes materiais de prazer e entretenimento haviam sido suprimidas? Naquela idade eu não me interessava pela natureza da minha mente — só pela minha vida. E não tinha a menor ideia do quanto a vida poderia ser diferente se a condição da minha mente se alterasse.

A mente é tudo o que temos. É tudo o que já tivemos. E é tudo o que podemos oferecer aos outros. Isso pode não ser óbvio, especialmente porque existem aspectos da nossa vida que precisam ser aprimorados — quando temos objetivos não realizados, ou estamos com dificuldade para encontrar uma carreira, ou temos relacionamentos que precisam de reparos. Mas essa é a verdade. Cada experiência que você já teve foi moldada por sua mente. Cada relacionamento será bom ou ruim do modo como ele se encontra porque há mentes envolvidas. Se você vive na

* Shiloh foi uma importante batalha da Guerra de Secessão norte-americana; Gallipoli, uma campanha da Primeira Guerra Mundial. (N. T.)

maior parte do tempo zangado, deprimido, confuso e desencantado, ou se sua atenção estiver em outro lugar, não importa quão bem-sucedido você se torne nem quem faz parte de sua vida — você não desfrutará de nada disso.

A maioria de nós poderia sem dúvida fazer uma lista dos objetivos que deseja atingir ou dos problemas pessoais que precisam ser resolvidos. Mas qual é a verdadeira importância de cada item de uma lista assim? Tudo o que desejamos fazer — pintar a casa, aprender um novo idioma, encontrar um emprego melhor — constitui uma promessa de que, uma vez realizada, ela finalmente nos permitirá relaxar e desfrutar da vida no presente. De modo geral, essa é uma esperança falsa. Não nego a importância de atingir nossos objetivos, conservar a saúde ou manter os filhos vestidos e alimentados. Mas a maioria de nós passa o tempo em busca da felicidade e da segurança sem reconhecer o propósito que a fundamenta. Cada um de nós procura um caminho de volta para o presente: tentamos encontrar razões boas o bastante para ficarmos satisfeitos no *agora*.

Reconhecer que essa é a estrutura do jogo que jogamos nos permite brincar de outra maneira. O modo como prestamos atenção ao momento presente determina, em grande medida, o caráter de nossa experiência, e, portanto, a qualidade de nossa vida. Os místicos e as pessoas contemplativas afirmam isso há milênios — mas hoje um conjunto crescente de estudos científicos corrobora essa noção.

Alguns anos depois de meu primeiro e penoso encontro com a solidão, no inverno de 1987, usei a droga 3,4-metilenodioximetanfetamina (MDMA), mais conhecida como ecstasy, e minha noção do potencial da mente humana passou por uma mudança profunda. A MDMA se tornaria onipresente nas danceterias e raves dos anos 1990, mas naquela época eu não conhecia ninguém da minha geração que a tivesse experimentado. Uma noite, alguns meses antes de meu vigésimo aniversário, um grande amigo e eu decidimos usá-la.

O cenário de nosso experimento não se parecia nem um pouco com as condições de liberalidade dionisíaca em que a MDMA costuma ser consumida hoje em dia. Estávamos sozinhos em uma casa, sentados frente a frente, um em cada ponta do sofá e conversávamos tranquilamente enquanto a substância seguia seu trajeto até nossas cabeças. Ao contrário de outras drogas com as quais estávamos familiarizados na época (maconha e álcool), a MDMA não produziu nenhuma sensação de distorção dos sentidos. Nossas mentes pareciam totalmente em ordem.

Em meio àquela situação banal, entretanto, me vi de repente chocado ao constatar que amava meu amigo. Isso não deveria ter me surpreendido — afinal de contas, ele era um dos meus melhores amigos. Mas, naquela idade, eu não tinha o hábito de refletir sobre o quanto amava os homens da minha vida. Na hora pude *sentir* que o amava, e a sensação tinha implicações éticas que de súbito me pareceram tão profundas quanto agora me parecem prosaicas nesta página: *eu queria que ele fosse feliz.*

A convicção eclodiu com tanta força que algo pareceu ceder em mim. Na verdade, a percepção pareceu reestruturar minha mente. Minha capacidade de sentir inveja, por exemplo — o sentimento de inferioridade pela felicidade ou pelo sucesso de outra pessoa —, parecia um sintoma de doença mental que desaparecera sem deixar vestígio. Naquele momento eu seria tão capaz de sentir inveja quanto de furar meus próprios olhos. Que me importava se meu amigo era mais atraente ou um atleta melhor do que eu? Se eu pudesse lhe conceder essas dádivas, assim o faria. Desejar *verdadeiramente* que ele fosse feliz fazia a felicidade dele ser minha.

Uma certa euforia começava a se insinuar nessas reflexões, talvez, mas a sensação geral continuava a ser de sobriedade absoluta — e de uma clareza moral e emocional que eu jamais conhecera. Não seria exagero dizer que me senti mentalmente são de espírito pela primeira vez na vida. No entanto, a mudança em minha consciência parecia muito clara. Eu estava apenas conversando com meu amigo — sobre o quê, não me lembro — e percebi que tinha deixado de me preocupar comigo mesmo. Não me sentia mais ansioso, a autocrítica desaparecera, eu não me escudava na ironia, não me via em uma competição, não procurava fugir de constrangimentos, não ruminava sobre o passado e o futuro, nem havia em meu pensamento ou atenção nada que me separasse dele. Eu não me vigiava mais pelos olhos de outra pessoa.

Tive nessa hora a percepção que transformou irrevogavelmente minha noção de como a vida humana podia ser boa. Eu sentia um amor *ilimitado* por um de meus melhores amigos e de súbito me dei conta de que, se um estranho entrasse pela porta naquele momento, ele seria incluído integralmente nesse amor. O amor era, em essência, impessoal — e mais profundo do que qualquer história pessoal poderia justificar. De fato, uma forma de amor transacional — amo você *porque*... — agora não fazia qualquer sentido.

O interessante nessa última mudança de perspectiva era ela não ser impelida por qualquer transformação no modo como eu me sentia. Eu não estava arrebatado por um novo sentimento de amor. O insight tinha mais o caráter de uma comprovação geométrica: era como se, depois de vislumbrar as propriedades de um conjunto de linhas paralelas, eu compreendesse subitamente o que deveria ser comum a todas elas.

No momento em que consegui reencontrar minha voz, descobri que a epifania sobre a universalidade do amor podia ser comunicada em seguida. Meu amigo me entendeu de imediato: só tive de lhe perguntar como ele se sentiria na presença de um completo estranho naquele instante, e a mesma porta se abriu em sua mente. Era óbvio que amor, compaixão e alegria pela alegria dos outros se estendiam sem limites. A experiência não era de um amor que crescia, mas de um amor que deixara de estar oculto. O amor, como anunciado por místicos e excêntricos de todas as eras, era um estado da existência. Como não tínhamos visto isso antes? E como poderíamos desconsiderar isso dali em diante?

Precisei de muitos anos para contextualizar a experiência. Até então, eu vira a religião organizada apenas como um monumento à ignorância e à superstição de nossos ancestrais. Mas me dei conta, depois, de que Jesus, Buda, Lao-Tsé e os demais santos e sábios da história não tinham sido todos epilépticos, esquizofrênicos ou charlatães. Eu ainda considerava as religiões do mundo meras ruínas intelectuais, mantidas a um enorme custo econômico e social, mas naquela hora entendi que, em meio ao entulho, havia verdades psicológicas importantes a serem encontradas.

Vinte por cento dos americanos se consideram "espiritualistas, mas não religiosos". Embora a declaração pareça irritar tanto crentes quanto ateus, separar a espiritualidade da religião é perfeitamente razoável. Significa afirmar duas verdades importantes ao mesmo tempo: nosso mundo é perigosamente dividido por doutrinas religiosas que todas as pessoas instruídas deveriam condenar, e, no entanto, há mais a se compreender sobre a condição humana do que a ciência e a cultura secular costumam admitir. Um dos propósitos deste livro é dar às duas convicções um fundamento intelectual e empírico.

Antes de prosseguir, devo tratar da animosidade que muitos leitores sentem contra o termo "espiritual". Sempre que uso a palavra, como ao me referir à meditação como uma "prática espiritual", sou repreendido por colegas céticos e ateus que pensam que eu cometi um erro grave.

A palavra "espírito" vem do latim *spiritus*, uma tradução do termo grego *pneuma*, que significa "respirar". Por volta do século XIII, o termo acabou enredado em crenças sobre almas imateriais, seres sobrenaturais, fantasmas e daí por diante. E ainda adquiriu outra acepção: falamos do "espírito" de alguma coisa como seu princípio mais essencial, ou para nos referir a certas substâncias voláteis e bebidas alcoólicas como "espíritos". Apesar disso, muitos descrentes acham hoje que tudo o que é "espiritual" está contaminado por uma superstição medieval.

Não compartilho de suas preocupações semânticas.[1] Admito que percorrer os corredores de qualquer livraria "espiritual" é o mesmo que encontrar o anseio e a credulidade da nossa espécie por metro, mas não existe outro termo — com exceção do ainda mais problemático "místico" ou do mais rígido "contemplativo" — que possamos usar ao discorrer sobre os esforços que as pessoas fazem, através da meditação, de substâncias psicodélicas ou de outros meios, para trazer a mente por inteiro ao presente ou para induzir estados incomuns de consciência. E nenhuma outra palavra associa esse espectro de experiências à nossa vida ética.

Em todo este livro, examino certos fenômenos, conceitos e práticas classicamente espirituais no contexto da nossa compreensão moderna da mente humana — e não posso fazê-lo se me restringir à terminologia da experiência comum. Por isso, usarei "espiritual", "místico", "contemplativo" e "transcendente" sem mais explicações. Contudo, serei preciso ao descrever as experiências e os métodos que fazem jus aos termos.

Há muitos anos venho sendo um crítico veemente da religião, e não baterei na mesma tecla aqui. Espero ter sido enérgico o bastante nessa frente para que até os mais céticos de meus leitores acreditem que meu detector de bobagens continua bem calibrado à medida que avançamos no novo terreno. Talvez a garantia que se segue baste por ora: nada neste livro precisa ser aceito com base na fé. Embora meu foco se concentre na subjetividade humana — afinal de contas, falo sobre a própria natureza da experiência —, todas as minhas afirmações podem ser testadas no laboratório de sua própria vida. Na verdade, meu objetivo é incentivá-lo a fazer exatamente isso.

Autores que tentam construir uma ponte entre ciência e espiritualidade tendem a cometer um de dois erros: os cientistas começam em geral com uma noção pobre da experiência espiritual, supondo que ela deva ser apenas um modo pomposo de descrever estados comuns da mente — amor aos filhos, inspiração artística, deslumbramento pela beleza do céu noturno. Nessa linha, encontramos menções ao assombro de Einstein diante da inteligibilidade das leis da natureza como se isso fosse uma espécie de iluminação mística.

Pensadores *new age* costumam entrar na vala pelo outro lado da estrada: idealizam estados alterados de consciência e fazem associações enganosas entre experiência subjetiva e as teorias mais intimidadoras da vanguarda da física. Dizem-nos que Buda e outras pessoas contemplativas predisseram a cosmologia moderna ou a mecânica quântica e que, ao transcender o sentido de self,* uma pessoa pode perceber sua identidade com a Mente Una que deu origem ao cosmo.

Ao final, resta-nos escolher entre a pseudoespiritualidade e a pseudociência.

Poucos cientistas e filósofos desenvolveram uma boa capacidade de introspecção. Na verdade, a maioria deles duvida até mes-

* O autor explicará em outras partes do livro sua definição de "sentido de self", mas adianta-se aqui a mais concisa: "o sentimento de que existe um pensador por trás dos nossos pensamentos, um experimentador em meio ao fluxo de experiências". (N. T.)

mo que tais habilidades existam. De modo inverso, muitos dos grandes contemplativos não sabem nada sobre ciência. Contudo, existe uma ligação entre fato científico e sabedoria espiritual, e ela é mais direta do que em geral se supõe. Embora os insights que possamos ter ao meditar não nos digam nada sobre as origens do universo, eles confirmam algumas verdades bem estabelecidas sobre a mente humana: nosso sentido convencional de self é uma ilusão; emoções positivas, como compaixão e paciência, são capacidades que podem ser ensinadas; e o modo como pensamos influencia diretamente nossa experiência de mundo.

Existe hoje uma vasta literatura sobre os benefícios psicológicos da meditação. Técnicas diferentes produzem mudanças duradouras na atenção, na emoção, na cognição e na percepção da dor, alterações que, por sua vez, se correlacionam com transformações estruturais e funcionais no cérebro. Esse campo de pesquisa vem crescendo rápido, assim como nossa compreensão sobre a autopercepção e os fenômenos mentais relacionados. Graças a avanços recentes nas técnicas de neuroimagem, não encontramos mais obstáculos práticos para investigar insights espirituais no contexto científico.

É *preciso* distinguir entre espiritualidade *e* religião — porque pessoas de todos os credos e pessoas sem fé alguma têm os mesmos tipos de experiências espirituais. Embora esses estados mentais costumem ser interpretados da perspectiva de uma ou de outra doutrina religiosa, sabemos que se trata de um erro. Nada do que um cristão, um muçulmano e um hindu possam experimentar — amor autotranscendente, êxtase, felicidade suprema, luz interior — constitui uma evidência da veracidade de suas crenças tradicionais, porque suas crenças são logicamente incompatíveis entre si. Sem dúvida, há um princípio mais profundo em ação.

Esse princípio é o tema deste livro: o sentimento que chamamos de "eu" é uma ilusão. Não existe um self ou ego distinto vivendo como o Minotauro no labirinto do cérebro. E a sensação de que ele existe — a ideia de que você se encontra em algum lugar atrás de seus olhos, olhando para um mundo destacado de você — pode ser alterada ou completamente extinta. Embora as experiências de "autotranscendência" costumem ser interpretadas em bases religiosas, não há nelas, em princípio, nada de irracional. Tanto por uma perspectiva científica quanto filosófica, elas representam uma compreensão mais clara do modo como as coisas são. No contexto deste livro, "espiritualidade" significa o aprofundamento da compreensão e a indicação reiterada da ilusão representada pelo self.

Confusão e sofrimento podem ser nossa herança, mas a sabedoria e a felicidade estão ao nosso alcance. A paisagem da experiência humana inclui insights profundamente transformadores sobre a natureza de nossa própria consciência, e, no entanto, é óbvio que esses estados psicológicos têm de ser compreendidos no contexto da neurociência, da psicologia e dos campos afins.

Muitas vezes me perguntam o que substituirá a religião organizada. A resposta, acredito, é nada e tudo. Nada precisa substituir doutrinas absurdas e controversas, como a ideia de que Jesus retornará à Terra e lançará os descrentes em um lago de fogo, ou de que a morte em defesa do islã é o bem supremo. Trata-se de ficções aterradoras e degradantes. Mas, e quanto ao amor, à compaixão, à bondade moral e à autotranscendência? Muita gente ainda imagina que a religião é o repositório verdadeiro dessas virtudes. Para mudar essa noção, precisamos falar sobre toda a gama de experiências humanas de um modo livre de dogmas, como já é a melhor ciência.

Este livro é, alternadamente, o ensaio biográfico de um investigador, uma introdução ao cérebro, um manual de instruções para a contemplação e um esclarecimento filosófico sobre o que a maioria das pessoas considera ser o centro de sua vida interior: o sentido de self que chamamos de "eu". Não procuro descrever todas as abordagens tradicionais da espiritualidade nem avaliar suas forças e fraquezas. Em vez disso, meu objetivo é extrair o diamante do monturo da religião esotérica. Existe um diamante ali, e dediquei uma parte considerável da vida a refletir sobre ele, mas para pegá-lo na mão precisamos ser fiéis aos princípios mais profundos do ceticismo científico sem nos curvarmos à tradição. Quando discuto ensinamentos específicos, como os do budismo ou do Advaita Vedanta, não pretendo apresentar nada parecido com uma explicação abrangente. Os leitores leais a alguma tradição espiritual ou os especialistas no estudo religioso acadêmico talvez vejam minha abordagem como a quintessência da arrogância. Eu a considero, no entanto, um sintoma de impaciência. Mal há tempo em um livro — ou em uma vida — para se chegar ao âmago do tema proposto. Assim como um tratado moderno sobre armamentos omitiria os feitiços, o uso de encantamentos, e, muito provavelmente, não discorreria sobre o estilingue e o bumerangue, eu me concentrarei naquilo que considero as linhas mais promissoras da busca espiritual.

Espero que minha experiência pessoal ajude o leitor a ver a natureza de sua própria mente sob uma nova luz. Uma abordagem racional da espiritualidade parece ser o que falta ao secularismo e à vida da maioria das pessoas que encontro. O propósito deste livro é oferecer aos leitores uma noção clara do problema, ao lado de algumas ferramentas que os ajudem a resolvê-lo por si mesmos.

A BUSCA DA FELICIDADE

Um dia você se verá fora deste mundo que é como um útero materno. Deixará esta terra para entrar, enquanto ainda estiver no corpo, em um amplo espaço, e saberá que as palavras "a terra de Deus é vasta" nomeiam a região da qual os santos vieram.

Jalal-ud-Din Rumi

Preocupo-me, como muitos ateus, com o fato de que termos como "espiritual" e "místico" sejam usados com frequência para se fazer afirmações não apenas sobre a qualidade de certas experiências, mas sobre a realidade em geral. Essas palavras são invocadas incontáveis vezes para corroborar crenças religiosas que são moral e intelectualmente grotescas. Em consequência, muitos dos meus colegas ateus consideram toda discussão sobre espiritualidade um sinal de doença mental, impostura consciente ou autoengano. Isso é um problema, porque milhões de pessoas já tiveram experiências para as quais os termos "espiritual" e "místico" parecem ser os únicos disponíveis. Muitas das crenças que as pessoas adquirem com base nessas experiências são falsas. Mas o fato de que a maioria dos ateus classifica uma afirmação como a de Rumi, acima, como um sintoma da insanidade do homem confere uma ponta de verdade a deblaterações até dos nossos oponentes menos racionais. Acontece que a mente humana contém de fato amplos espaços que poucos de nós jamais descobrirão.

E *existe* algo degradado e degradante em muitos de nossos hábitos de atenção enquanto fazemos compras, fofocamos, discutimos e ruminamos até o fim de nossos dias. Talvez aqui eu deva falar só por mim: tenho a impressão de que passo boa parte da vida desperta em um transe neurótico. No entanto, minhas experiências sobre meditação indicam que há uma alternativa. É possível ficar livre do rolo compressor do self, mesmo que por apenas alguns momentos de cada vez.

A maioria das culturas produziu homens e mulheres que descobriram que certos usos deliberados da atenção — meditação, ioga, oração — podem transformar sua percepção de mundo.

Seus esforços começam em geral quando se dão conta de que, mesmo nas melhores circunstâncias, a felicidade é fugaz. Buscamos visões, sons, gostos, sensações e estados de humor agradáveis. Satisfazemos nossa curiosidade intelectual. Cercamo-nos de amigos e familiares queridos. Tornamo-nos conhecedores de arte, de música ou de culinária. Mas nossos prazeres, por sua própria natureza, são passageiros. Se desfrutamos de um grande êxito profissional, nossa sensação de realização permanece viva e inebriante por uma hora, talvez por um dia, mas depois se amaina. E a busca prossegue. O esforço requerido para afastar o tédio e outras coisas desagradáveis precisa se manter a cada momento.

A mudança incessante é uma base precária para a satisfação duradoura. Ao se dar conta disso, muitos começam a se perguntar se existe uma fonte mais profunda de bem-estar. Há alguma forma de felicidade além da mera repetição do prazer e para evitar a dor? Existirá alguma felicidade que não dependa de ter à mão as comidas preferidas, ou amigos e familiares queridos por perto, ou bons livros para ler, ou algo pelo que ansiar no fim de semana? Será possível ser feliz *antes* que alguma coisa aconteça, antes que nosso desejo se realize, a despeito das dificuldades da vida, mesmo em meio à dor física, à velhice, à doença e à morte?

Todos estamos, em certo sentido, vivendo nossa resposta a essa questão — e a maioria vive como se a resposta fosse "não". Não, nada é mais profundo que repetir os prazeres e evitar as dores; nada é mais profundo que buscar a satisfação — sensorial, emocional e intelectual — a cada instante. É só manter o pé no acelerador até que cheguemos ao fim da estrada.

Algumas pessoas, porém, acabam suspeitando que a existência humana talvez contenha mais que isso. Muitas são levadas a pensar desse modo pela *religião* — pelo que disse Buda, Jesus ou outra figura célebre. E muitas vezes começam a praticar várias disciplinas voltadas à atenção como um modo de examinar suas experiências de perto o suficiente para descobrir se existe uma fonte mais profunda de bem-estar. Podem até se isolar em cavernas ou mosteiros por meses ou anos a fim de facilitar o processo. Por que alguém faria isso? Sem dúvida há muitos motivos para se retirar do mundo, e alguns deles são psicologicamente doentios. Mas, em sua forma mais sensata, o esforço consiste em um experimento bem simples. Eis a sua lógica: se existe uma fonte de bem-estar psicológico que não depende da mera gratificação dos desejos, ela deve estar presente mesmo quando as fontes costumeiras de prazer forem removidas. A felicidade deveria estar disponível para uma pessoa que não quis se casar com sua paixão do tempo de colégio, que renunciou à carreira e às posses materiais e se encafuou em uma caverna ou em algum outro lugar que seja hostil às aspirações corriqueiras.

Uma pista sobre o quanto a maioria das pessoas acharia esse projeto desencorajador é o fato de que o confinamento em uma solitária — que, em essência, é do que estamos falando — é considerado uma punição *dentro* de uma prisão de segurança máxima. Mesmo quando forçada a viver em meio a assassinos e estupradores, a maioria ainda prefere a companhia de outras pessoas a passar qualquer tempo significativo a sós em uma sala. No entanto, pessoas contemplativas de muitas tradições afirmam experimentar níveis extraordinários de bem-estar psicológico vivendo em isolamento por grandes períodos. Como interpretar isso? Ou a literatura contemplativa é um catálogo de delírio religioso, psicopatologia e fraude deliberada, ou as pessoas têm insights libertadores rotulados de "espiritualidade" e "misticismo" há milênios.

Ao contrário de muitos ateus, passei boa parte da vida buscando experiências como as que serviram de fonte às religiões do mundo. Apesar dos resultados penosos de meus primeiros dias sozinho nas montanhas do Colorado, mais tarde estudei com um grande número de monges, lamas, iogues e outras pessoas contemplativas, alguns dos quais tinham vivido por décadas em reclusão, sem fazer nada além de meditar. Nesse processo, passei dois anos em um retiro silencioso (com acréscimos de uma semana até três meses), praticando várias técnicas de meditação por doze a dezoito horas diárias.

Posso atestar que, quando fazemos silêncio e meditamos durante semanas ou meses seguidos, sem fazer mais nada — sem falar, ler ou escrever, apenas fazendo um esforço, a cada instante, para observar os conteúdos da consciência — temos experiências que em geral estão fora do alcance de pessoas que não se dedicaram a uma prática semelhante. Acredito que tais estados mentais dizem muito sobre a natureza da consciência e as possibilidades de bem-estar humano. Deixando de lado a metafísica, a mitologia e o dogma sectário, o que as pessoas contemplativas descobriram ao longo da história é que existe uma alternativa ao feitiço contínuo das conversas que temos conosco; há uma alternativa à simples identificação com o próximo pensamento que brota na consciência. O vislumbre dessa alternativa dissipa a ilusão convencional do self.

A maioria das tradições de espiritualidade também sugere uma ligação entre a autotranscendência e o viver com ética. Nem todos os bons sentimentos têm valência ética, e decerto existem formas patológicas de êxtase. Não tenho dúvida, por exemplo, de que muitos homens-bomba se sentem muito bem pouco antes de se explodirem em meio a uma multidão. Mas há também formas de prazer mental que são intrinsecamente éticas. Como indiquei antes, para alguns estados de consciência uma frase como "amor ilimitado" não parece exagerada. É por certo inconveniente para as forças da razão e do secularismo que, se alguém acordar amanhã sentindo um amor ilimitado por todos os seres sencientes, as únicas pessoas que provavelmente reconhecerão a legitimidade da experiência desse indivíduo serão representantes de uma ou outra religião da Idade do Ferro ou de um culto *new age*.

* * *

A maioria de nós é muito mais sábia do que aparenta. Sabemos como manter os relacionamentos em ordem, usar bem o tempo, melhorar a saúde, perder peso, aprender competências valiosas e resolver muitos outros enigmas da existência. Mas seguir até mesmo o caminho mais direto e aberto para a felicidade é difícil. Se o seu melhor amigo perguntasse como ele poderia viver melhor, é provável que você encontre muitas sugestões úteis para lhe dar, e, no entanto, talvez você mesmo não viva dessa maneira. Em certo nível, a sabedoria não é mais profunda do que a capacidade de seguir os próprios conselhos. Contudo, há aspectos mais profundos sobre a natureza de nossa mente a serem percebidos. Infelizmente, eles têm sido discutidos apenas no contexto da religião e, portanto, envolvidos em falácias e superstições ao longo de toda a história humana.

O problema de encontrar a felicidade neste mundo começa quando respiramos pela primeira vez — e nossas necessidades e desejos parecem se multiplicar interminavelmente. Passar algum tempo na presença de uma criança pequena é testemunhar uma mente fustigada sem parar por alegria e tristeza. À medida que ficamos mais velhos, nossos risos e lágrimas se tornam menos gratuitos, talvez, mas o mesmo processo de mudança prossegue: um turbulento complexo de pensamentos e emoções que se sucedem uns aos outros, como ondas no oceano.

Buscar, encontrar, manter e salvaguardar nosso bem-estar é o grande projeto ao qual todos nos dedicamos, não importa se escolhemos pensar assim ou não. Isso não quer dizer que desejamos prazeres simples ou a vida mais fácil possível. Muitas coisas requerem esforços extraordinários para serem realizadas, e alguns de nós aprendem a apreciar a luta. Todo atleta sabe que certos tipos de dor podem produzir um prazer refinado. A dificuldade de levantar peso, por exemplo, seria excruciante se fosse um sintoma de doença terminal. Mas como ela é associada à saúde e à aptidão física, a maioria dos praticantes a aprecia. Vemos aqui que a cognição e a emoção não são separáveis. O modo como pensamos a respeito da experiência pode determinar por completo como nos sentimos a respeito dela.

E sempre nos deparamos com tensões e alternativas antagônicas. Em certos momentos ansiamos por animação; em outros, por descanso. Podemos adorar vinho e chocolate, mas raramente no café da manhã. Seja qual for o contexto, nossa mente se move sem parar — em geral na direção do prazer (ou de sua fonte imaginada) e para longe da dor. Não sou a primeira pessoa a notar isso.

Nossa luta para manobrar o espaço de possíveis dores e prazeres produz a maior parte da cultura humana. A ciência médica tenta prolongar a saúde e reduzir o sofrimento associado à doença, ao envelhecimento e à morte. Todas as formas de meios de comunicação se empenham em saciar nossa sede de informação e entretenimento. Instituições políticas e econômicas buscam assegurar que colaboremos pacificamente uns com os outros — e a polícia ou o exército são chamados quando elas falham. Além de garantir nossa sobrevivência, a civilização é uma gigantesca máquina inventada pela mente humana para regular seus estados. Estamos sempre em processo de criar e reparar um mundo onde nossa mente deseja estar. E, para onde quer que olhemos, vemos a prova de nossos sucessos e fracassos. Infelizmente, a derrota tem uma vantagem natural. As respostas erradas a qualquer problema superam numericamente as certas por larga margem, e parece que sempre será mais fácil quebrar coisas do que consertá-las.

Apesar da beleza do mundo e da abrangência das realizações humanas, é difícil não recear que as forças do caos venham a triunfar, não apenas no fim, mas em cada momento. Nossos prazeres, por mais refinados ou facilmente adquiridos que sejam, são fugazes por natureza. Começam a minguar assim que surgem, sendo substituídos por novos desejos ou sensações de desconforto. Você come até não poder mais sua comida favorita até que, no instante seguinte, se descobre tão empanzinado que quase precisa dos serviços de um cirurgião — mas, por alguma singularidade da física, ainda resta um espacinho para a sobremesa. O prazer da sobremesa dura alguns segundos, e logo aquele gosto persistente na boca precisa ser removido com um gole de água. O calor do sol traz uma sensação deliciosa à pele, mas pouco depois essa coisa boa se torna um exagero. Ir para a sombra traz alívio imediato, mas após um ou dois minutos a brisa fica um pouco fria demais. Você tem uma blusa no carro? Vamos dar uma olhada. Sim, tem! Agora você está agasalhado, mas nota que o casaco está meio surrado. Ele lhe dá uma aparência desalinhada ou descuidada? Talvez seja hora de comprar um novo. E por aí vai.

Parece que fazemos pouco mais do que dar guinadas entre desejar e não desejar. Assim, a questão surge naturalmente: haverá algo na vida além disso? Será possível se sentir muito melhor (em todos os sentidos de *melhor*) do que você geralmente se sente? Será possível encontrar uma satisfação duradoura apesar da inevitabilidade da mudança?

A vida espiritual começa com a suspeita de que a resposta a essas questões pode muito bem ser "sim". E um praticante espiritual verdadeiro é alguém que descobriu que é possível estar satisfeito no mundo sem razão nenhuma, mesmo que seja apenas durante alguns instantes de cada vez, e que tal satisfação é sinônimo de transcender as fronteiras aparentes do self. Quem nunca experimentou essa paz de espírito pode desconfiar de afirmações do tipo. No entanto, o fato é que uma condição de bem-estar desvinculada do self existe e pode ser vislumbrada a cada momento. Obviamente, não estou afirmando que vivenciei todos esses estados, mas conheço muita gente que parece não ter experimentado nenhum deles — e muitas dessas pessoas afirmam, com frequência, que não se interessam pela vida espiritual.

Isso não é de surpreender. O fenômeno da autotranscendência costuma ser buscado e interpretado em um contexto religioso, e ele é exatamente o tipo de experiência que tende a intensificar a fé de uma pessoa. Quantos cristãos, depois de sentirem que o coração ganhou o tamanho do mundo, decidirão rejeitar o cristianismo e proclamar seu ateísmo? Não muitos, desconfio. Quantos indivíduos que nunca sentiram nada do tipo se tornam ateus? Não sei, mas não há muita dúvida de que esses estados mentais atuam como uma espécie de filtro: para os fiéis, são a confirmação de dogmas antigos, e a ausência deles fornece aos descrentes motivos extras para rejeitar a religião.

Esse é um problema difícil para que eu o aborde em um livro, porque muitos leitores não terão ideia do que estou falando quando descrevo certas experiências espirituais e podem supor que minhas afirmações devem ser aceitas com base na fé. Leitores religiosos criam outra dificuldade: podem pensar que sabem exatamente do que falo, mas apenas à medida que o conteúdo se alinha a uma ou outra doutrina religiosa. A meu ver, as duas atitudes representam obstáculos substanciais para se compreender a espiritualidade do modo como eu pretendo explicá-la. Só posso torcer para que, seja qual for sua formação, o leitor faça os exercícios propostos neste livro com a mente aberta.

RELIGIÃO, ORIENTE E OCIDENTE

Muitas vezes somos incentivados a acreditar que as religiões são todas iguais: todas ensinam os mesmos princípios éticos, todas exortam seus seguidores a contemplar a mesma realidade divina, todas são igualmente sábias, compassivas e verdadeiras em sua própria esfera — ou igualmente controvertidas e falsas, dependendo do ponto de vista.

Nenhum adepto sério de qualquer fé pode acreditar nisso, pois a maioria das religiões faz afirmações sobre a realidade que são mutuamente incompatíveis. Exceções à regra existem, mas pouco amenizam o que, em essência, é uma competição de soma zero de todas contra todas. O politeísmo do hinduísmo lhe permite digerir partes de muitas outras fés: se os cristãos garantem que Jesus Cristo é o filho de Deus, por exemplo, os hindus podem transformá-lo em mais um avatar de Vishnu sem perder o sono. Mas esse espírito de inclusão aponta num só sentido, e mesmo ele tem limites. Os hindus são comprometidos com ideias metafísicas específicas — a lei do carma e do renascimento, a multiplicidade de deuses — que quase todas as outras religiões principais menosprezam. É impossível para qualquer fé, por mais elástica que seja, honrar plenamente as afirmações de verdade de outra.

Judeus, cristãos e muçulmanos devotos acreditam ser deles a única revelação verdadeira e completa — porque isso é o que seus respectivos livros santos dizem de si mesmos. Só os secularistas e os diletantes da *new age* podem confundir a tática moderna do "diálogo entre fés" com uma unidade básica de todas as religiões.

Há tempos argumento que a confusão em torno da unidade das religiões é um artefato da linguagem. "Religião" é um termo como "esporte": alguns esportes são pacíficos, mas incrivelmente perigosos (escalada em rocha na modalidade "solo livre"); outros são mais seguros, mas sinônimos de violência (artes marciais mistas); e outros trazem riscos de lesão tão significativos quanto ficar em pé sob o chuveiro (boliche). Falar sobre esportes como uma atividade genérica impossibilita discutir o que os atletas fazem de fato ou os atributos físicos necessários para praticá-los. O que todos os esportes têm em comum além da necessidade de respirar? Não muito. O termo "religião" também não é mais útil que isso.

O mesmo se pode dizer sobre a *espiritualidade*. As doutrinas esotéricas encontradas em cada tradição religiosa não derivam todas dos mesmos insights. Tampouco são igualmente empíricas, lógicas, parcimoniosas ou sábias. Nem sempre apontam para a mesma realidade fundamental — e, quando o fazem, não o fazem igualmente bem. Seus ensinamentos também não se prestam no mesmo grau a serem exportados para além das culturas que os conceberam.

Entretanto, fazer distinções desse tipo é muito malvisto nos círculos intelectuais. Sei, por experiência própria, que as pessoas não querem ouvir que o islamismo apoia a violência e o jainismo não, ou que o budismo oferece uma abordagem empírica genuinamente refinada para se compreender a mente humana, enquanto o cristianismo apresenta um impedimento quase perfeito a essa compreensão. Em muitos círculos, fazer comparações desagradáveis assim significa a condenação por intolerância.

Em um sentido, todas as religiões e práticas espirituais precisam tratar da mesma realidade — porque as pessoas de todas as fés percebem muitas das mesmas verdades. Toda noção sobre a consciência e o cosmo disponível à mente humana pode, em princípio, ser avaliada por qualquer um. Portanto, não surpreende que indivíduos judeus, cristãos, muçulmanos e budistas tenham professado os mesmos insights e intuições. Eles indicam apenas que a cognição e a emoção humanas são mais arraigadas que a religião. (Mas sabíamos disso, não sabíamos?) Isso não quer dizer que todas as religiões compreendem igualmente bem as nossas possibilidades espirituais.

Um modo de se equivocar sobre a questão é declarar que todos os ensinamentos espirituais são inflexões da mesma Filosofia Perene. O escritor Aldous Huxley pôs essa ideia em evidência ao publicar uma antologia com esse título. Eis como ele justificou a ideia:

> *Philosophia perennis* — a expressão foi cunhada por Leibniz; entretanto, a coisa — a metafísica que reconhece uma Realidade divina substancial ao mundo das coisas, vidas e mentes, a psicologia que vê na alma algo similar, ou até idêntico, à Realidade divina, a ética que situa o objetivo final do homem no conhecimento da Base imanente e transcendente de todo ser — é imemorial e universal. Rudimentos da Filosofia Perene podem ser encontrados entre os conhecimentos tradicionais de povos primitivos em todas as regiões do mundo, e em suas formas plenamente desenvolvidas ela tem lugar em todas as principais religiões. Uma versão desse Fator Comum Supremo de todas as teologias precedentes e subsequentes foi escrita pela primeira vez há mais de vinte e cinco séculos, e desde então o tema inesgotável tem sido examinado vezes sem conta, do ponto de vista de todas as tradições religiosas e em todas as principais línguas da Ásia e da Europa.[2]

Embora Huxley tenha sido um tanto cauteloso na escolha das palavras, a noção de um Fator Comum Supremo a unir todas as religiões começa a se desintegrar no momento em que exigimos detalhes. Por exemplo, as religiões abraâmicas são incorrigivelmente dualistas e baseadas na fé: no judaísmo, no cristianismo e no islamismo, a alma humana é concebida como genuinamente separada da realidade divina de Deus. A atitude apropriada para uma criatura que se vê nessa circunstância é uma combinação de terror, vergonha e reverência. Na melhor das hipóteses, noções do amor e da graça de Deus proporcionam algum alívio — mas a mensagem central dessas fés é que cada um de nós é isolado de uma autoridade divina e está em um relacionamento com ela, que punirá quem acalentar a menor dúvida sobre Sua supremacia.

A tradição oriental apresenta um quadro da realidade muito diferente. E seus ensinamentos mais elevados — encontrados nas várias escolas do budismo e da tradição hindu do Advaita Vedanta — transcendem de modo explícito o dualismo. Segundo esses ensinamentos, a própria consciência é idêntica à realidade que alguém, de outro modo, poderia confundir com Deus. Embora esses ensinamentos façam afirmações metafísicas que todo estudante sério de ciência consideraria inacreditáveis, eles se concentram em um conjunto de experiências que as doutrinas do judaísmo, do cristianismo e do islamismo consideram impensáveis.

Evidentemente, é verdade que certos místicos judeus, cristãos e muçulmanos tiveram experiências semelhantes às que motivaram o budismo e o Advaita, mas esses insights contemplativos não são típicos de sua fé. Trata-se de anomalias que místicos ocidentais sempre se empenharam em entender e honrar, muitas vezes a um considerável risco pessoal. Ao lhes conferir o peso verdadeiro, essas experiências produzem heterodoxias pelas quais judeus, cristãos e muçulmanos têm sido exilados ou executados regularmente.

Como Huxley, toda pessoa decidida a encontrar uma síntese feliz entre tradições espirituais notará que o místico cristão Mestre Eckhart (*c.* 1260-*c.* 1327) se expressou muitas vezes de modo bem parecido com o de um budista: "O conhecedor e o conhecido são um só. As pessoas simples imaginam que deveriam ver Deus, como se Ele estivesse ali e elas aqui. Não é assim. Deus e eu somos um no conhecimento". Mas ele também se expressou como um homem fadado a ser excomungado por sua igreja — e o foi. Se Eckhart tivesse vivido um pouco mais, parece certo que teria sido arrastado para a rua e queimado vivo por suas ideias grandiosas. Essa é uma diferença reveladora entre o cristianismo e o budismo.

De maneira análoga, é um equívoco considerar o místico sufi Al-Hallaj (858-922) como um representante do islamismo. Ele era muçulmano, é verdade, mas sofreu a morte mais pavorosa imaginável nas mãos de seus correligionários porque presumiu ser um com Deus. Tanto Eckhart quanto Al-Hallaj revelaram uma experiência de autotranscendência que qualquer ser humano, em princípio, pode ter. Mas seus pontos de vista não condiziam com os ensinamentos centrais de suas fés.

A tradição indiana é, em comparação, livre de problemas desse tipo. Embora os ensinamentos do budismo e do Advaita estejam embutidos em religiões mais ou menos convencionais, eles contêm insights empíricos sobre a natureza da consciência que não dependem da fé. É possível praticar a maioria das técnicas da meditação budista ou o método do autoconhecimento do Advaita e experimentar as mudanças anunciadas na consciência sem jamais acreditar na lei do carma ou nos milagres atribuídos a místicos indianos. Por outro lado, para se iniciar na vida cristã, deve-se primeiro aceitar uma porção de coisas implausíveis sobre a vida de Jesus e as origens da Bíblia — e o mesmo se pode dizer, exceto por alguns detalhes secundários, sobre o judaísmo e o islamismo. Se alguém acabar descobrindo que o sentimento de ser uma alma individual é uma ilusão, ele será culpado de blasfêmia em qualquer lugar a oeste do Indo.

Não há dúvida de que muitas disciplinas religiosas podem produzir experiências interessantes em mentes apropriadas. No entanto, deve ficar claro que se dedicar a uma prática baseada na fé (e provavelmente ilusória), sejam quais forem seus efeitos, não é o mesmo que uma pessoa investigar a natureza de sua mente sem suposições doutrinárias. Afirmações desse tipo podem ser totalmente antagônicas às religiões abraâmicas, mas são verdadeiras: pode-se falar sobre o budismo despojado de seus milagres e suposições irracionais. O mesmo não se pode dizer do cristianismo e do islamismo.[3]

O envolvimento ocidental com a espiritualidade oriental remonta no mínimo ao tempo da campanha de Alexandre na Índia, onde o jovem conquistador e seus filósofos de estimação encontraram ascetas nus a quem chamaram de "gimnosofistas". Com frequência se diz que o pensamento desses iogues influenciou bastante o filósofo Pirro, o pai do ceticismo grego. Essa parece ser uma afirmação digna de crédito, já que os ensinamentos de Pirro tinham muito em comum com o budismo. Mas seus insigths e métodos contemplativos nunca se tornaram parte de nenhum sistema de pensamento no Ocidente.

O estudo sério do pensamento oriental por não orientais começou somente em fins do século XVIII. A primeira tradução de um texto em sânscrito para uma língua ocidental parece ter sido a de Sir Charles Wilkins para o Bagavadguitá, um texto fundamental do hinduísmo, em 1785. O cânone budista não atrairia a atenção de estudiosos ocidentais por mais cem anos.[4]

O diálogo entre Oriente e Ocidente começou para valer, embora não de modo auspicioso, com a fundação da Sociedade Teosófica, o golem de fome espiritual e autoengano trazido ao mundo quase por obra exclusiva da incomparável madame Helena Petrovna Blavatsky, em 1875. Tudo nessa senhora parecia refutar a lógica terrena: ela era uma mulher incrivelmente gorda que, diziam, andara sozinha e despercebida por sete anos nas montanhas do Tibete. Também se acreditava que ela sobrevivera a naufrágios, ferimentos de arma de fogo e combates de espada. De modo ainda menos convincente, ela afirmava ter contato psíquico com membros da Grande Fraternidade Branca de mestres ascensos — um conjunto de imortais responsáveis pela evolução e preservação de todo o cosmo. O líder deles era do planeta Vênus, mas vivia no mítico reino de Shambhala, que Blavatsky situou nos arredores do deserto de Gobi. Com o nome estranhamente burocrático de o Senhor do Mundo, ele supervisionava o trabalho de outros adeptos, entre eles Buda, Maitreya, Maha Chohan e um certo Kut Humi, que pareciam não ter nada melhor a fazer para o bem do cosmo do que contar os segredos do universo a Blavatsky.[5]

É sempre surpreendente quando uma pessoa atrai legiões de seguidores e constrói uma grande organização graças à generosidade deles vendendo esse tipo de mitologia de video game. Mas o fato talvez não fosse tão estranho em uma época na qual até as pessoas mais instruídas ainda tinham dificuldade para compreender a eletricidade, a evolução e a existência de outros planetas. É fácil esquecermos o quanto o mundo subitamente encolheu e o cosmo se expandiu em fins do século XIX. As barreiras geográficas entre culturas distantes haviam sido suprimidas pelo comércio e pelas conquistas (passou a ser possível se pedir um gim-tônica em quase todas as partes do planeta), mas a realidade de forças invisíveis e mundos alienígenas era um tema diário das pesquisas científicas mais meticulosas. Era inevitável que descobertas interculturais e científicas se misturassem, na imaginação popular, a dogmas religiosos e ao ocultismo tradicional. Na verdade, isso acontecia no nível mais elevado do pensamento humano havia mais de um século: é sempre instrutivo lembrar que o pai da física moderna, Isaac Newton, desperdiçou uma porção considerável de sua genialidade no estudo da teologia, de profecias bíblicas e da alquimia.

A incapacidade de distinguir o que é estranho, mas verdadeiro, do que é apenas estranho era bem comum na época de Blavatsky — tanto quanto o é hoje em dia. Joseph Smith, contemporâneo de Blavatsky, um charlatão libidinoso e excêntrico, conseguiu fundar uma religião afirmando que desenterrara as revelações finais de Deus na sagrada região de Manchester, Nova York, em placas de ouro escritas em "egípcio reformado". Ele decodificou o texto com a ajuda de "pedras de vidente" mágicas, as quais, por magia ou não, permitiram que Smith reproduzisse uma versão em inglês da Palavra de Deus que era um pastiche constrangedor de plágios da Bíblia e de mentiras tolas sobre a vida de Jesus na América. E, no entanto, o edifício de bobagens e tabus resultante sobrevive até hoje.

Um culto mais moderno, a cientologia, alavancou a credulidade humana a um grau ainda mais elevado: os adeptos acreditam que os seres humanos são possuídos pelas almas de extraterrestres que foram exilados no planeta Terra há 75 milhões de anos pelo tirano galáctico Xenu. E como se realizou esse exílio? À moda antiga: os extraterrestres foram transportados aos bilhões para o nosso humilde planeta a bordo de uma espaçonave parecida com um avião DC-8. Eles foram aprisionados em um vulcão e explodidos com bombas de hidrogênio. Mas suas almas sobreviveram, e desenredá-las das nossas pode representar trabalho para uma vida inteira. Além de custar bem caro.[6]

Apesar dos elementos imponderáveis de sua filosofia, Blavatsky foi uma das primeiras a anunciar a círculos ocidentais que existia uma "sabedoria do Oriente". Essa sabedoria começou a gotejar na direção oeste assim que Swami Vivekananda introduziu os ensinamentos do Vedanta no Parlamento Mundial das Religiões reunido em 1893 na cidade de Chicago. Mais uma vez, o budismo estava atrasado: alguns monges ocidentais que viviam na ilha de Sri Lanka começavam a traduzir o cânone em páli, que é até hoje o registro mais abalizado dos ensinamentos do Buda histórico, Sidarta Gautama. Entretanto, a prática da meditação budista só viria a ser efetivamente ensinada no Ocidente meio século depois.

É bem fácil encontrar defeitos nas ideias quiméricas sobre a sabedoria oriental, e essa tradição crítica surgiu quase no mesmo instante em que o primeiro estudioso ocidental se sentou de pernas cruzadas e tentou meditar. Em fins dos anos 1950, o escritor e jornalista Arthur Koestler viajou para a Índia e o Japão em busca de sabedoria e resumiu assim sua peregrinação: "Comecei minha jornada num saco de aniagem e cinzas e voltei muito orgulhoso de ser europeu".[7]

Em *The Lotus and the Robot*, Koestler enuncia algumas das razões para não ter se prostrado com reverência em sua jornada ao Oriente. Consideremos, por exemplo, a disciplina milenar da hataioga. Embora hoje, de modo geral, ela seja vista como um sistema de exercícios físicos destinado a aumentar a força e a flexibilidade, no contexto tradicional a hataioga é parte de um esforço mais abrangente para manipular características "sutis" do corpo desconhecidas dos anatomistas. Sem dúvida, boa parte dessa sutileza corresponde a experiências que os iogues realmente têm — mas muitas das crenças que se formaram com base nessas experiências são certamente absurdas, e algumas das práticas associadas a elas são tolas e prejudiciais.

Koestler menciona que o aspirante a iogue é por tradição incentivado a encompridar a língua — chegando ao ponto de cortar o frênulo (a membrana que liga a língua à base da boca) e de alongar o palato mole. Qual é a finalidade dessas modificações? Elas permitem que nosso herói introduza a língua na nasofaringe para bloquear o fluxo de ar para as narinas. Com a anatomia aprimorada desse modo, o iogue se torna capaz de beber fluidos que supostamente emanam de seu cérebro. Essas substâncias — que, recorrendo-se a mais sutilezas, se imagina que estejam ligadas à retenção de sêmen — confeririam não só sabedoria espiritual, mas a imortalidade. A técnica de beber muco, conhecida como *khechari mudra*, é considerada uma das realizações mais grandiosas da ioga.

É com grande satisfação que marco um ponto para Koestler aqui. Nem é preciso dizer que não se encontrará neste livro nenhuma defesa de práticas desse gênero.

As críticas à sabedoria oriental podem parecer especialmente pertinentes quando provêm dos próprios orientais. Na verdade, é um tanto despropositado que ocidentais instruídos acorram ao Oriente em busca de iluminação espiritual enquanto orientais fazem a peregrinação oposta em busca de educação e oportunidades econômicas. Tenho um amigo cujas aventuras são um ponto alto nessa comédia global. Ele fez a primeira viagem à Índia logo depois de se formar na universidade, quando já adquirira várias afetações iogues: possuía as contas e os cabelos compridos de praxe, mas, além disso, tinha o hábito de escrever repetidamente em um diário o nome do deus hindu Ram em caracteres devanágari. No voo de volta à terra natal, ele teve a sorte de se sentar ao lado de um homem de negócios indiano. Esse viajante estafado achava que já tinha visto todo tipo de sandice humana — até pôr os olhos nas escrevinhações do meu amigo. O espetáculo de um ocidental bem nascido, formado em Stanford, em idade produtiva, com diplomas em economia e história, devotado ao culto grafomaníaco de uma deidade imaginária em uma língua que ele era incapaz de ler e entender foi mais do que aquele homem podia suportar em um espaço confinado a nove mil metros de altura. Depois de um diálogo exasperado, restou aos dois viajantes se fitarem em mútua incompreensão e piedade — e ainda faltavam dez horas de voo. Existem dois lados em uma conversa desse tipo, mas admito que é possível fazer com que apenas um deles pareça ridículo.

Também podemos reconhecer que a sabedoria oriental não produziu sociedades ou instituições políticas melhores que as ocidentais; na verdade, é possível argumentar que a Índia sobreviveu como a maior democracia do mundo somente graças a instituições que foram criadas sob o domínio britânico. Tampouco o Oriente liderou o mundo nas descobertas científicas. Não obstante, há algum acerto na noção de uma sabedoria unicamente oriental, e a maior parte dela se concentra na tradição do budismo ou deriva dela.

O budismo tem despertado um interesse especial em cientistas ocidentais pelas razões já sugeridas. Não é uma religião baseada sobretudo na fé, e seus ensinamentos centrais são totalmente empíricos. Apesar das superstições acalentadas por muitos budistas, a doutrina tem um cerne prático e lógico que não requer suposições injustificadas. Muitos ocidentais notaram isso e se sentiram aliviados por encontrar uma alternativa espiritual ao culto baseado na fé. Não é por acaso que a maior parte das pesquisas científicas atuais sobre meditação se concentra em técnicas budistas.

Outra razão para a proeminência do budismo entre os cientistas tem sido o envolvimento intelectual de um de seus representantes de maior visibilidade: Tenzin Gyatso, o 14º dalai-lama. Evidentemente, o dalai-lama não deixa de ter seus críticos. Meu falecido amigo Christopher Hitchens disse umas verdades sobre "sua santidade" em várias ocasiões. Também criticou estudantes ocidentais do budismo pela "crença adotada de forma disseminada e passiva de que a religião 'oriental' é diferente de outras fés: menos dogmática, mais contemplativa, mais [...] transcendental" e pelo "extasiado, irrefletido excepcionalismo" com o qual muitos veem o budismo.[8]

Hitchens tinha razão. Em sua função de chefe de uma das quatro vertentes do budismo tibetano e como ex-líder do governo tibetano no exílio, dalai-lama fez algumas afirmações questionáveis e certas alianças constrangedoras. Embora seu envolvimento com a ciência seja abrangente e, sem dúvida, sincero, ele não se furta em consultar um astrólogo ou um "oráculo" para tomar decisões importantes. Discorrerei neste livro sobre muitas das coisas que podem ter justificado o menosprezo de Hitchens, mas a essência de seus comentários estava toda errada. Várias tradições orientais são excepcionalmente empíricas e excepcionalmente sábias, e, portanto, merecem o excepcionalismo reivindicado por seus adeptos.

O budismo, em particular, possui uma literatura sobre a natureza da mente que não tem comparação na religião e na ciência do Ocidente. Alguns desses ensinamentos estão cheios de suposições metafísicas que devem suscitar dúvidas, mas muitos outros não estão. E quando o examinamos como um conjunto de hipóteses para se investigar a mente e aprofundar a vida ética, o budismo pode ser um empreendimento inteiramente racional.

Em contraste com as doutrinas do judaísmo, do cristianismo e do islamismo, os ensinamentos do budismo não são considerados por seus adeptos como produtos de uma revelação infalível. São instruções empíricas: se você fizer x, experimentará y. Embora muitos budistas tenham um apego supersticioso e devoto ao Buda histórico, os ensinamentos do budismo apresentam Buda como um ser humano comum que conseguiu compreender a natureza de sua própria mente. "Buda" significa "o que despertou" — e Sidarta Gautama foi apenas um homem que acordou do sonho de ser um self isolado. Compare isso com a noção cristã de Jesus, imaginado como o filho do criador do universo. Trata-se de uma proposição muito diferente, e ela torna o cristianismo, não importa o quanto ele seja destituído de bagagem metafísica, quase irrelevante para uma discussão científica sobre a condição humana.

Os ensinamentos do budismo, assim como, de modo geral, os da espiritualidade oriental, salientam a primazia da mente. Há perigos nesse modo de se ver o mundo, sem dúvida. Concentrar-se em treinar a mente enquanto se exclui tudo o mais pode levar ao quietismo político e à conformidade das colmeias. O fato de que nossa mente é tudo o que temos, e de que é possível estar em paz mesmo em circunstâncias difíceis, pode se tornar um argumento para que desconsideremos problemas sociais óbvios. Esse não é, entretanto, um argumento imperioso. O mundo precisa desesperadamente melhorar — em âmbito global, liberdade e prosperidade continuam sendo exceções —, mas isso não significa que temos de ser infelizes enquanto trabalhamos pelo bem comum.

Na verdade, os ensinamentos do budismo enfatizam uma conexão entre a vida ética e a vida espiritual. Progredir em uma dessas esferas assenta o alicerce para progredir na outra. Alguém pode, por exemplo, passar longos períodos em solidão contemplativa com o propósito de se tornar uma pessoa melhor no mundo — de ter relacionamentos melhores, de ser mais honesto e compassivo e, portanto, mais útil para os semelhantes. O egoísmo com sabedoria e o altruísmo são mais ou menos equivalentes. Há séculos relatos corroboram essa ideia — e, como veremos, o estudo científico da mente começou a lhe dar sustentação. Hoje em dia quase não se questiona que o modo como alguém usa sua atenção, a cada instante, determina em larga medida o tipo de pessoa que ele se tornará. Nossa mente — assim como nossa vida — é, em grande parte, moldada pelo modo como a usamos.

Embora, em princípio, a experiência da autotranscendência seja acessível a todos, essa possibilidade é atestada apenas muito raramente na literatura religiosa e filosófica do Ocidente. Somente os budistas e os estudiosos do Advaita Vedanta (que parece ter sido muito influenciado pelo budismo) asseveram com absoluta clareza que a vida espiritual consiste em superar a ilusão do self com uma grande atenção voltada à nossa experiência do momento presente.[9]

Como escrevi em meu primeiro livro, *A morte da fé*, a disparidade entre as espiritualidades do Oriente e do Ocidente lembrava aquela encontrada entre a medicina oriental e a ocidental — com a seta do constrangimento apontando na direção oposta. A humanidade não entendeu a biologia do câncer, não produziu antibióticos e vacinas nem sequenciou o genoma humano sob o sol oriental. Em consequência, a medicina de verdade é quase toda um produto da ciência ocidental. À medida que as técnicas específicas da medicina oriental funcionarem de fato, elas precisam estar de acordo, deliberadamente ou por acaso, com os princípios da biologia que viemos a descobrir no Ocidente. Não digo que a medicina ocidental seja completa. Daqui a poucas décadas, muitas das nossas práticas atuais parecerão bárbaras. Basta refletir sobre os efeitos colaterais de muitas medicações para concluir que elas são instrumentos terrivelmente imprecisos. Ainda assim, grande parte do nosso conhecimento sobre o corpo humano — e sobre o universo físico de modo geral — surgiu no Ocidente. O resto é instinto, folclore, desnorteamento e morte prematura.

Do mesmo modo, uma comparação honesta das tradições espirituais orientais e ocidentais tende a revelar uma disparidade gritante. Como manuais para a realização contemplativa, a Bíblia e o Alcorão são mais que inúteis. Toda sabedoria que possa vir a ser encontrada em suas páginas nunca se acha expressa *da melhor maneira* nesses livros, e ela é subvertida, inúmeras vezes, por selvageria e superstições imemoriais.

Mais uma vez é preciso lançar mão das ressalvas necessárias: não digo que a maioria dos budistas e hinduístas sejam contemplativos refinados. Suas tradições geraram muitas das mesmas patologias que vemos entre os fiéis em outras partes do mundo: dogmatismo, anti-intelectualismo, tribalismo, crença em outro mundo. No entanto, é difícil de exagerar a diferença empírica entre os ensinamentos centrais do budismo e do Advaita e os do monoteísmo ocidental. Alguém pode percorrer os caminhos orientais interessado apenas na natureza de sua própria mente — em especial, pelas causas imediatas do sofrimento psicológico — e atento à sua experiência em cada instante presente. Na realidade, não há nada em que seja preciso crer. Os ensinamentos do budismo e do Advaita são mais bem descritos como manuais de laboratório e diários de exploradores que detalham os resultados de estudos empíricos sobre a natureza da consciência humana.

Hoje quase todas as barreiras geográficas e linguísticas ao intercâmbio livre de ideias ruíram. Parece-me, portanto, que as pessoas instruídas não têm mais direito a nenhuma forma de espiritualismo provinciano. Hoje as verdades da espiritualidade oriental não são mais orientais do que as verdades da ciência ocidental são ocidentais. Estamos falando apenas da consciência humana e de seus possíveis estados. Meu propósito ao escrever este livro é o de incentivar o leitor a investigar certos insights contemplativos por conta própria, sem aceitar as ideias metafísicas que eles inspiraram em povos ignorantes e isolados do passado.

Uma última advertência: nada do que eu digo aqui constitui uma negação do fato de que o bem-estar psicológico requer um "sentido de self" sadio — com todas as competências que essa expressão vaga implica. Crianças precisam se tornar autônomas, confiantes e ter autopercepção para formar relacionamentos saudáveis. Precisam adquirir uma infinidade de outras capacidades cognitivas, emocionais e interpessoais no processo de se tornarem adultos equilibrados e produtivos. Ou seja, há um tempo e um lugar para tudo — a menos, é claro, que não haja. Sem dúvida, existem transtornos psicológicos, como a esquizofrenia, para os quais práticas como as que recomendo neste livro podem ser inadequadas. Algumas pessoas acham a experiência de um retiro silencioso prolongado psicologicamente desestabilizante.[10] De novo, parece oportuna uma analogia com o treinamento físico: nem todo mundo tem condições de correr 1,5 quilômetro em um minuto ou de levantar halteres de peso igual ao de seu próprio corpo. No entanto, muitas pessoas comuns são capazes desses feitos, e existem modos melhores e piores de alcançá-los. E mais: os mesmos princípios de aptidão se aplicam, em geral, mesmo a pessoas cujas capacidades sejam limitadas por doença ou lesão.

Por isso, quero deixar claro que as instruções deste livro se destinam a leitores que sejam adultos (mais ou menos) e livres de doenças psicológicas ou físicas que possam ser exacerbadas pela meditação ou por outras técnicas de introspecção prolongada. Se lhe parecer provável que prestar atenção à respiração, às sensações corporais, ao fluxo de pensamentos e à própria natureza da consciência causará uma angústia clinicamente significativa, por favor consulte um psicólogo ou psiquiatra antes de se dedicar às práticas que descrevo.

MINDFULNESS, A ATENÇÃO PLENA

Sempre é agora. A frase parece banal, mas é verdadeira. Não tanto para a neurologia, uma vez que nossa mente é construída sobre camadas de inputs* que, sabemos, têm de ser recebidos em momentos diferentes.[11] Mas é verdadeira quando falamos sobre a *experiência consciente.* A realidade da vida é sempre no agora. E perceber isso, como veremos, é libertador. Aliás, acho que não há nada mais importante a se compreender se quisermos ser felizes neste mundo.

Entretanto, passamos a maior parte da vida esquecidos dessa verdade, fechando os olhos para ela, fugindo dela, repudiando-a. E o horror é que somos bem-sucedidos. Conseguimos evitar ser felizes enquanto nos esforçamos para *nos tornar* felizes: satisfazemos um desejo após outro, eliminamos nossos medos, nos agarramos ao prazer, nos esquivamos da dor — pensando, interminavelmente, sobre qual será a melhor forma de manter tudo funcionando a contento. Como consequência, passamos a vida muito menos satisfeitos do que poderíamos ser. Com frequência, não apreciamos

* Entrada de sinais enviados ao cérebro pelos órgãos dos sentidos. (N. T.)

algo que temos até que o percamos. Ansiamos por experiências, objetos, relacionamentos e depois nos cansamos deles. Mas o anseio persiste. Falo por experiência própria, é claro.

Como remédio para essa enrascada, muitos ensinamentos espirituais pedem que acalentemos ideias sem fundamento sobre a natureza da realidade, ou, no mínimo, que passemos a gostar da iconografia ou dos rituais de uma religião ou de outra. Mas nem todos os caminhos passam pelo mesmo terreno acidentado. Existem métodos de meditação que não requerem nenhum artifício nem suposições improcedentes.

Para os iniciantes, costumo recomendar uma técnica chamada *vipassana* ("olhar dentro de algo com clareza", em páli), proveniente da mais antiga tradição do budismo Teravada. Uma das vantagens da *vipassana* é que se trata de uma técnica que pode ser ensinada de modo totalmente secular. Em geral, os especialistas na prática adquirem seu treinamento num contexto budista, e a maioria dos centros de retiro nos Estados Unidos e na Europa ensina a filosofia budista associada a ela. No entanto, esse método de introspecção pode ser transposto sem empecilhos para qualquer contexto secular ou científico. (O mesmo não se pode dizer da prática de se cantar para o senhor Krishna batendo num tambor.) É por isso que a *vipassana* vem sendo amplamente estudada e adotada por psicólogos e neurocientistas.

A qualidade da mente cultivada na *vipassana* é quase sempre descrita em inglês como "mindfulness".* A literatura sobre seus benefícios psicológicos é expressiva. Não há nada de sobrenatural na atenção plena. Ela é apenas um estado de atenção clara, sem julgamento e sem distrações aos conteúdos da consciência, agradáveis ou desagradáveis. Provou-se que cultivar essa qualidade da mente reduz a dor, a ansiedade e a depressão, apura a função cognitiva e

* "Atenção plena", como frequentemente se traduz para o português. (N. T.)

produz até mesmo melhoras na densidade da substância cinzenta em regiões do cérebro relacionadas ao aprendizado e à memória, à regulação emocional e à autopercepção.[12] Examinaremos mais detidamente a neurofisiologia da atenção plena em outro capítulo.

Mindfulness é uma tradução inglesa da palavra *sati*, da língua páli. O termo tem várias acepções na literatura budista, mas, para nossos objetivos, a mais importante é "atenção plena". A prática foi descrita pela primeira vez no *Satipatthana Sutta*,[13] que faz parte do Cânone Páli. Como muitos textos budistas, o *Satipatthana Sutta* é muito repetitivo, e, para quem não se devota com avidez ao estudo do budismo, sua leitura é demasiado maçante. Entretanto, quando comparamos textos do tipo com a Bíblia ou com o Alcorão, a diferença é inconfundível: *Satipatthana Sutta* não é uma coleção de mitos, superstições e tabus antigos; é um guia empírico rigoroso para se libertar a mente do sofrimento.

Buda descreveu quatro fundamentos da atenção plena, que ele ensinou como "o caminho direto para a purificação dos seres, para a superação da tristeza e da lamentação, para o desaparecimento da dor e do pesar, para o alcance do verdadeiro caminho, para a realização do Nibbana" (*Nirvana*, em sânscrito). Os quatro fundamentos da atenção plena são o corpo (respiração, mudanças na postura, atividades), as sensações (de prazer, desconforto e neutralidade), a mente (em particular, seus humores e atitudes) e os objetos da mente (que incluem os cinco sentidos, mas também outros estados mentais, como vontade, tranquilidade, arrebatamento, serenidade e até mesmo a própria atenção plena). Trata-se de uma lista singular, ao mesmo tempo redundante e incompleta — um problema que se agrava pela necessidade de traduzir a terminologia páli. Mas a mensagem óbvia do texto é que toda a experiência de uma pessoa pode se tornar terreno da contemplação. A instrução para o meditador é apenas que preste atenção "ardorosamente", "com percepção total" e "livre de cobiça e pesar pelo mundo".

Não há nada de passivo na atenção plena. Poderíamos mesmo dizer que ela expressa um tipo específico de paixão — uma paixão por discernir o que é subjetivamente real a cada momento. Trata-se de um modo de cognição que é, acima de tudo, isento de distrações, permeável e (em última análise) não conceitual. Estar em atenção plena não é uma questão de se *pensar* mais claramente sobre experiências; é o ato de vivenciá-las com mais clareza, inclusive o surgimento dos próprios pensamentos. A atenção plena é uma percepção vívida do que quer que apareça em nossa mente ou em nosso corpo — pensamentos, sensações, estados de humor —, sem que nos apeguemos ao agradável ou que nos esquivemos do desagradável. Um dos aspectos fortes dessa técnica de meditação, do ponto de vista secular, é que ela não requer que adotemos quaisquer artificialidades culturais ou crenças injustificadas. Exige apenas que prestemos muita atenção ao fluxo das experiências em cada momento.

O principal inimigo da atenção plena — ou de qualquer prática meditativa — é nosso hábito bastante condicionado de nos distrairmos por pensamentos. O problema não são os pensamentos em si, mas o estado de pensarmos sem saber que estamos pensando. Todos os tipos de pensamento podem ser objetos perfeitamente apropriados para a atenção plena. Mas, nas primeiras etapas de nossa prática, o surgimento de um pensamento será mais ou menos sinônimo de distração — ou seja, de fracasso ao meditar. A maioria das pessoas que pensa que está meditando está apenas pensando de olhos fechados. Ao praticar a atenção plena, contudo, podemos despertar do sonho do pensamento discursivo e começar a ver cada imagem, ideia ou fragmento de linguagem que surgem e desaparecem sem deixar vestígio. O que resta é a própria consciência, com as visões, sons, sensações e pensamentos que a acompanham e aparecem e mudam a cada instante.

Quando se começa a praticar meditação, a diferença entre a experiência comum e o que acabamos por considerar "atenção plena" não é muito clara; precisamos de algum treinamento para distinguir entre estar perdido em pensamentos e ver os pensamentos como eles são. Nesse sentido, aprender a meditar é como adquirir qualquer outra habilidade. São necessárias milhares de repetições para se dar um bom soco no boxe ou para se tirar música das cordas de um violão. Com a prática, a atenção plena se torna um hábito de atenção bem construído, e a diferença entre a atenção plena e o pensamento comum se tornará cada vez mais clara. Por fim, começará a parecer que você desperta repetidamente de um sonho e se vê em segurança na cama. Por mais terrível que seja o sonho, o alívio é instantâneo. É difícil, porém, permanecer desperto durante mais de alguns segundos a cada vez.

Meu amigo Joseph Goldstein, um dos melhores professores de *vipassana* que conheço, compara essa mudança da atenção à experiência de estar totalmente imerso em um filme e de repente perceber que você está sentado no cinema, assistindo a um mero jogo de luzes na parede. Sua percepção não muda, mas o encanto se desfaz. A maioria de nós passa todos os momentos de vigília perdida no filme de nossas vidas. Enquanto não nos damos conta de que existe uma alternativa ao encantamento, ficamos totalmente à mercê das aparências. Repito: a diferença que descrevo não é uma questão de se alcançar uma nova compreensão conceitual ou de se adotarem novas crenças sobre a natureza da realidade. A mudança chega quando vivenciamos o momento presente antes que os pensamentos surjam.

Buda ensinou a atenção plena como a resposta apropriada à verdade de *dukkha*, palavra páli que se costuma traduzir, com um tanto de equívoco, por "sofrimento". Uma tradução melhor seria "insatisfação". O sofrimento pode não ser inerente à vida, mas a insatisfação o é. Ansiamos pela felicidade duradoura em meio à mudança: nosso corpo envelhece, objetos valorizados se quebram, prazeres diminuem, relacionamentos fracassam. Nosso apego às coisas boas da vida e a aversão às ruins representam uma negação da realidade, e sua inevitabilidade leva a sentimentos de insatisfação. A atenção plena é uma técnica para se atingir a serenidade em meio ao fluxo, nos permitindo simplesmente tomar consciência da qualidade da experiência em cada momento, seja ela agradável, seja desagradável. Pode parecer uma receita para a apatia, mas não precisa ser. Na verdade, é possível ter atenção plena — e, portanto, estar em paz com o momento presente — até mesmo enquanto se trabalha para tornar o mundo melhor.

A meditação da atenção plena é demasiado simples de se descrever, mas não é fácil de se praticar. O verdadeiro domínio da prática pode requerer um talento especial e toda uma vida de devoção à tarefa, mas uma transformação genuína na percepção do mundo está ao alcance da maioria de nós. A prática é a única coisa que nos conduzirá ao êxito. As instruções simples que você encontrará adiante são análogas às instruções para se andar numa corda bamba — que, suponho, seriam mais ou menos assim:

1. Encontre um cabo horizontal capaz de sustentar seu peso.
2. Fique em pé em uma das extremidades.
3. Avance pondo um pé diretamente em frente ao outro.
4. Repita.
5. Não caia.

Evidentemente, as etapas de 2 a 5 requerem alguma tentativa e erro. Por sorte, os benefícios do treinamento de meditação surgem muito antes que se domine a técnica. E cair, para os nossos propósitos, acontece quase sem cessar, toda vez que nos perdemos em pensamentos. Mais uma vez, o problema não está nos pensamentos em si, mas no estado de pensar *sem a consciência plena de se estar pensando.*

Como todo meditador logo descobre, a distração é a condição normal da mente. A maioria de nós despenca da corda bamba a cada segundo, seja ao resvalar alegremente para um devaneio, seja ao mergulhar no medo, na raiva, na autoaversão e em outros estados mentais negativos. A meditação é uma técnica para o despertar. O objetivo é sair do transe do pensamento discursivo e deter, por reflexo, o apego ao agradável e a aversão ao desagradável, para que possamos desfrutar de uma mente não perturbada por preocupações, apenas aberta como o céu e cônscia, sem esforço, do fluxo da experiência no presente.

Como meditar

1. Sente-se confortavelmente, com a coluna ereta, em uma cadeira ou de pernas cruzadas numa almofada.
2. Feche os olhos, respire fundo algumas vezes e sinta os pontos de contato entre seu corpo e a cadeira ou o chão. Repare nas sensações associadas a estar sentado: de pressão, calor, formigamento, vibração etc.
3. Aos poucos, tome consciência do processo de respirar. Preste atenção aos locais onde você sente que o ar se movimenta de modo mais definido — nas narinas ou no sobe e desce do abdome.
4. Permita que sua atenção incida na simples sensação de respirar. (Você não precisa controlar a respiração. Apenas deixe que o ar entre e saia de modo natural.)
5. Toda vez que se perder em pensamentos, volte delicadamente a atentar para a respiração.
6. Ao se concentrar no processo de respirar, você também perceberá sons, sensações corporais ou emoções. Apenas observe esses fenômenos à medida que eles aparecerem na consciência, depois retorne à respiração.

7. No momento em que notar que se perdeu em pensamentos, observe o pensamento presente como um objeto da consciência. Depois volte a prestar atenção à respiração ou a quaisquer sons ou sensações que surjam em seguida.
8. Continue desse modo até poder apenas testemunhar todos os objetos da consciência — visões, sons, sensações, emoções e até os próprios pensamentos — conforme eles surgem, mudam e passam.

Os principiantes geralmente acham útil ouvir instruções desse tipo em voz alta durante uma sessão de meditação. Postei em meu site meditações dirigidas com várias durações.

A VERDADE DO SOFRIMENTO

Estou sentado em um café no centro de Manhattan, bebendo exatamente o que quero (café), comendo exatamente o que desejo (um cookie) e fazendo exatamente o que quero (escrevendo este livro). É um lindo dia de outono, e muitas das pessoas que passam pela calçada parecem irradiar boa sorte pelos poros. Algumas delas têm o físico tão atraente que começo a me perguntar se é possível que haja alguma finalidade em aplicar um Photoshop ao corpo humano. Nesta rua, e por quase dois quilômetros em cada direção, lojas vendem joias, objetos de arte e roupas que nem um por cento da humanidade pode ter a esperança de comprar.

Assim, o que Buda quis dizer quando falou da "insatisfação" (*dukkha*) da vida? Referia-se apenas aos pobres e famintos? Ou será que essas pessoas ricas e bonitas sofrem também neste exato momento? Evidentemente, o sofrimento está à nossa volta — mesmo aqui, onde tudo parece correr bem.

Primeiro, é óbvio: a poucos quarteirões de onde estou sentado há hospitais, casas de convalescença, consultórios psiquiátricos e outras instalações construídas para o alívio, ou para a simples contenção, de algumas das formas mais profundas de aflição humana. Um homem atropela o próprio filho ao engatar a ré no carro na saída de casa. Uma mulher descobre que tem câncer terminal à véspera de seu casamento. Sabemos que o pior pode acontecer a qualquer um a todo momento, e a maioria das pessoas desperdiça muita energia mental torcendo para que não aconteça com elas.

Mas podemos encontrar formas mais sutis de sofrimento, inclusive entre pessoas que parecem ter todas as razões para estarem satisfeitas no presente. Embora riqueza e fama possam proporcionar muitas formas de prazer, poucos de nós têm a ilusão de que elas garantem a felicidade. Qualquer um que tenha televisão ou leia jornal já viu estrelas de cinema, políticos, atletas profissionais e outras celebridades pularem de um casamento a outro e de um escândalo a outro. Saber que uma pessoa jovem, atraente, talentosa e bem-sucedida é, apesar disso tudo, viciada em drogas ou clinicamente deprimida quase não causa surpresa.

Mas a insatisfação na vida boa é mais profunda. Mesmo vivendo em segurança entre uma emergência e outra, a maioria de nós sente uma variedade de emoções dolorosas diariamente. Ao acordar pela manhã, você está inteiramente feliz? Como você se sente no trabalho, ou quando se olha no espelho? O quanto você está satisfeito com o que realizou na vida? Quanto do tempo que você passa com sua família é entregue ao amor e à gratidão, e quanto vocês passam apenas no esforço para serem felizes na companhia uns dos outros? Mesmo para as pessoas demasiado afortunadas a vida é difícil. E quando vamos olhar o que faz com que seja assim, constatamos que somos todos prisioneiros dos pensamentos.

E existe a morte, que derrota a todos. A maioria das pessoas parece acreditar que temos apenas dois modos de pensar sobre a morte: podemos temê-la e fazer o possível para não pensar nela, ou podemos negar que ela seja real. A primeira estratégia leva a uma vida de mundanidade e distrações convencionais: nos empenhamos unicamente em obter prazer e sucesso e fazemos tudo para manter a realidade da morte fora do alcance da vista. A segunda estratégia é a província da religião, a nos assegurar que a morte é apenas um portal para outro mundo e que as oportunidades mais importantes da existência surgem depois do tempo de vida do corpo. Mas existe outro caminho, e ele parece ser o único compatível com a honestidade intelectual. Esse caminho é o tema deste livro.

ILUMINAÇÃO

O que é a iluminação, que tantos dizem ser o objetivo supremo da meditação? Há muitos detalhes esotéricos que podemos desconsiderar sem problemas — discordâncias entre tradições contemplativas sobre o que, exatamente, se ganha ou se perde ao fim do caminho espiritual. Muitas dessas afirmações são despropositadas. Em muitas escolas de budismo, por exemplo, um buda — seja ele o Buda histórico, Sidarta Gautama, seja qualquer outra pessoa que alcance o estado de "iluminação total" — costuma ser descrito como "onisciente". O que exatamente isso significa dá margem a muita polêmica detalhista. Entretanto, por mais restrita que seja a definição, a afirmação é absurda. Se o Buda histórico fosse "onisciente", ele teria sido, no mínimo, um matemático, físico, biólogo e vencedor do Show do Milhão melhor do que qualquer pessoa que já viveu. Será razoável esperar que um asceta do século v a.C., graças a seus insights meditativos, se tornasse espontaneamente um gênio sem precedentes em todos os campos da investigação humana, inclusive nos que ainda não existiam na época? Sidarta Gautama teria pasmado Kurt Gödel, Alan Turing, John von Neumann e Claude Shannon com seu domínio da lógica matemática e da teoria da informação? Claro que não. Pensar o contrário é pura beatice.

Qualquer extensão do conceito de "onisciência" para o conhecimento procedural — isto é, para o saber como *fazer* alguma coisa — tornaria o Buda capaz de pintar a Capela Sistina em uma manhã e de demolir Roger Federer em Wimbledon à tarde. Existe alguma razão para se acreditar que Sidarta Gautama, ou qualquer outro contemplativo célebre, possuía tais capacidades graças à sua prática espiritual? Nenhuma. No entanto, muitos budistas acreditam que os budas podem fazer todas essas coisas e outras mais. Repetindo: isso é dogmatismo religioso, e não uma abordagem racional da vida espiritual.[14]

Não defendo nenhum argumento a favor da magia ou de milagres neste livro. Posso, porém, dizer que o verdadeiro objetivo da meditação é mais profundo do que a maioria das pessoas imagina — e realmente engloba muitas das experiências que místicos tradicionais afirmam ter tido. É bem possível que alguém perca a noção de ser um self isolado e que vivencie uma espécie de consciência ilimitada, aberta — em outras palavras, que se sinta uno com o cosmo. Isso diz muito sobre as possibilidades da consciência humana, mas nada sobre o universo como um todo. E não esclarece nada sobre a relação entre mente e matéria. O fato de que é possível amar seu próximo como a si mesmo poderia ser uma grande descoberta para o campo da psicologia, mas não corrobora em absoluto a afirmação de que Jesus era o filho de Deus, ou mesmo a de que Deus existe. Tampouco sugere que a "energia" do amor permeie de alguma forma o cosmo. Existem afirmações históricas e metafísicas que a experiência pessoal não pode justificar.

Entretanto, um fenômeno como o amor autotranscendente nos autoriza a fazer afirmações sobre a mente humana. E essa experiência, em especial, é tão bem atestada e tão prontamente alcançada pelos que se dedicam a práticas específicas (a técnica budista da meditação *metta*, por exemplo), ou mesmo pelos que usam a droga certa (MDMA), que praticamente não há controvérsia sobre sua existência. Fatos desse tipo devem ser entendidos em um contexto racional.

O objetivo tradicional da meditação é chegar a um estado de bem-estar imperturbável — ou que, caso seja perturbado, possa ser readquirido com facilidade. O monge francês Matthieu Ricard descreve essa felicidade como "uma sensação profunda de florescimento que surge de uma mente excepcionalmente sã".[15] O propósito da meditação é reconhecer que você já possui uma mente assim. Por sua vez, a descoberta o ajuda a parar de fazer coisas que produzem confusão e sofrimento desnecessários para você mesmo e para os outros. É claro que a maioria das pessoas nunca domina a prática de verdade e não atinge uma condição de felicidade imperturbável. O objetivo próximo, portanto, é o de se ter uma mente *cada vez mais* sã — ou seja, o de conduzir a mente para a direção certa.

Não há novidade nenhuma na tentativa de *se tornar* feliz. E é possível que uma pessoa se torne feliz, dentro de certos limites, sem recorrer a nenhuma prática de meditação. Acontece que as fontes de felicidade convencionais são inconstantes, dependem de condições mutáveis. É difícil criar uma família feliz, manter você e as pessoas que ama saudáveis, adquirir riqueza e encontrar modos criativos e gratificantes de desfrutá-la, fazer grandes amizades, contribuir para a sociedade de maneiras recompensadoras do ponto de vista emocional, aperfeiçoar uma grande variedade de aptidões artísticas, atléticas e intelectuais — e manter a máquina da felicidade funcionando dia após dia. Não há nada de errado em se estar satisfeito de todas essas maneiras — exceto pelo fato de que, se você prestar bem atenção, verá que ainda existe algo de errado. Essas formas de felicidade não são boas o bastante. Os sentimentos de satisfação não duram. E a pressão da vida continua.

Assim, um mestre espiritual seria mestre *do quê*? No mínimo, ele não teria mais certas ilusões cognitivas e emocionais — sobretudo, não se sentiria idêntico aos seus pensamentos. Uma vez mais, isso não quer dizer que tal pessoa não pensaria mais; ela apenas deixaria de sucumbir à confusão primária que os pensamentos produzem na maioria de nós: ela não mais sentiria que existe em seu interior um self que é o autor dos pensamentos. Essa pessoa manteria naturalmente uma receptividade e a serenidade da mente que, para a maioria de nós, mesmo depois de anos de prática, só está disponível por breves momentos. Não sei dizer se alguém já atingiu um estado desses permanentemente, mas sei, por experiência direta, que é possível ser muito mais iluminado do que costumo ser.

A iluminação ser ou não ser permanente é uma questão que não deve nos deter. O essencial é que possamos vislumbrar algo da natureza da consciência que nos liberte do sofrimento no presente. Até mesmo o simples reconhecimento da impermanência dos nossos estados mentais — mas reconhecê-la a fundo, não apenas como uma ideia — pode transformar nossa vida. Cada estado mental que alguém já teve surgiu e passou. Essa é uma verdade pessoal, mas, ainda assim, trata-se de uma verdade que todo ser humano pode confirmar. Não precisamos saber mais sobre o cérebro ou sobre a relação entre a consciência e o mundo físico para entender a verdade sobre a nossa mente. A promessa da vida espiritual — ou seja, justamente aquilo que a torna "espiritual" no sentido que invoco neste livro — é que existem verdades a respeito da mente que convém que nós conheçamos. O que precisamos para nos tornar mais felizes ou para fazermos do mundo um lugar melhor não são mais ilusões piedosas, e sim uma compreensão mais clara do modo como as coisas são.

No momento em que admitimos a possibilidade de alcançar insights contemplativos — e de treinar a mente para esse propósito — temos de reconhecer que as pessoas se situam naturalmente em pontos diferentes num continuum entre a ignorância e a sabedoria. Parte das variações será considerada "normal", mas o normal não é necessariamente um lugar feliz para se estar. Assim como o corpo físico e as capacidades de uma pessoa podem ser aprimorados — atletas olímpicos *não* são normais —, a vida mental pode se aprofundar e se expandir graças ao talento e ao treino. Isso é quase evidente, mas continua sendo uma questão polêmica. Ninguém hesita em admitir o papel do talento e do treino no contexto das realizações físicas e intelectuais; nunca encontrei quem negasse que alguns de nós são mais fortes, mais atléticos ou mais cultos que outros. No entanto, muita gente tem dificuldade em reconhecer que existe um continuum de sabedoria moral e espiritual e que pode haver modos melhores e piores de se deslocar por ele.

Parece inevitável, portanto, que existam *estágios* de desenvolvimento espiritual. Assim como devemos crescer fisicamente até a fase adulta — e podemos não amadurecer, adoecer ou nos mutilar no processo —, nossa mente se desenvolve gradativamente. Ninguém pode aprender capacidades refinadas como raciocínio silogístico, álgebra ou ironia antes da aquisição de habilidades mais básicas. Acredito que uma vida espiritual sadia só pode ter início depois que nossas vidas física, mental, social e ética amadurecerem o suficiente. Temos de aprender a usar a linguagem antes de poder trabalhar com ela de maneira criativa ou de compreender seus limites, e o self convencional precisa estar formado antes de podermos investigá-lo e compreender que ele não é o que parece ser. A capacidade de examinar os conteúdos de nossa própria consciência com clareza, objetividade e de modo não argumentativo, com atenção suficiente para perceber que não existe um self dentro de nós, é uma capacidade extraordinariamente refinada. Apesar disso, a técnica da atenção plena pode ser praticada por pessoas bem jovens. Muitos, inclusive minha mulher, já conseguiram ensiná-la a crianças de seis anos. Nessa idade, e em todas as idades subsequentes, a atenção plena pode ser um instrumento poderoso para o autocontrole e a autopercepção.

Os contemplativos perceberam há tempos que os hábitos mentais positivos são mais bem definidos como capacidades que a maioria de nós aprende de modo incompleto ao longo do processo de nos tornarmos adultos. É possível nos tornarmos mais focados, pacientes e compassivos do que tendemos a ser naturalmente, e há muito para se aprender sobre como ser feliz neste mundo. A ciência psicológica ocidental só começou a estudar essas verdades recentemente.

Algumas pessoas vivem satisfeitas em meio a privações e perigos, enquanto outras são infelizes mesmo com toda a sorte do mundo. Isso não quer dizer que as circunstâncias externas não importam. Mas é a nossa mente, e não as circunstâncias em si, que determina a qualidade da vida. Nossa mente é a base de tudo o que vivenciamos e de toda contribuição que damos à vida dos outros. Sendo assim, faz sentido treiná-la.

Cientistas e céticos supõem em geral que as afirmações tradicionais de iogues e místicos devem ser exageradas ou simplesmente ilusórias e que o único objetivo racional da meditação se limita à convencional "redução do estresse". Já os que se dedicam seriamente a essas práticas costumam garantir que até as afirmações mais exageradas dos mestres espirituais são verdadeiras. Procuro conduzir o leitor por um caminho intermediário entre os extremos: um caminho que preserva nosso ceticismo científico, mas reconhece que é possível alcançar uma transformação radical em nossa mente.

Em certo sentido, o conceito budista de iluminação é de fato apenas o epítome da "redução do estresse" — e, dependendo de quanto estresse a pessoa reduz, os resultados da prática podem parecer mais ou menos profundos. Segundo os ensinamentos budistas, o ser humano tem uma visão distorcida da realidade, que o leva a sofrer sem necessidade. Apegamo-nos a prazeres transitórios. Ruminamos sobre o passado e nos preocupamos com o futuro. Buscamos continuamente escorar e defender um self egoico que não existe. Isso é estressante — e a vida espiritual é um processo gradual para se esclarecer a confusão e dar um fim ao estresse. Segundo a visão budista, ao vermos as coisas como elas são, paramos de sofrer dos modos usuais, e nossa mente pode se abrir para estados de bem-estar intrínsecos à natureza da consciência.

Há, é claro, pessoas que dizem que gostam do estresse e que parecem ávidas por viver de acordo com a lógica que ele impõe. Alguns chegam a sentir prazer em causar estresse nos outros. Acredita-se que Gengis Khan teria dito: "A suprema felicidade é pôr o inimigo em debandada e fazê-lo correr diante de nós, ver suas cidades reduzidas a cinzas, ver seus entes queridos banhados em lágrimas e trazer para os nossos braços suas mulheres e filhas". As pessoas atribuem muitos significados a termos como "felicidade", e nem todos são mutuamente compatíveis.

Em *A paisagem moral* mostrei que tendemos a nos deixar confundir sem necessidade por diferenças de opinião quando o tema é o bem-estar humano. Sem dúvida, certas pessoas podem obter prazer mental — e até um verdadeiro êxtase — ao se comportarem de modos que produzem imenso sofrimento para outros. Mas sabemos que esses estados são anômalos — ou, pelo menos, não sustentáveis — porque dependemos uns dos outros para quase tudo. Sejam quais forem os prazeres associados, o estupro e o saque não podem constituir uma estratégia estável para se encontrar a felicidade neste mundo. Em vista de nossas necessidades sociais, sabemos que as formas de bem-estar mais profundas e duráveis precisam ser compatíveis com uma consideração ética para com as outras pessoas — inclusive para com estranhos —, pois, do contrário, conflitos violentos se tornam inevitáveis. Também sabemos que há certas formas de felicidade que não estão disponíveis para uma pessoa ainda que, como Gengis Khan, ela se encontre do lado vencedor do cerco. Alguns prazeres são intrinsecamente éticos: sentimentos como amor, gratidão, fervor e compaixão. Habitar esses estados mentais é, por definição, estar alinhado aos outros.

A meu ver, o objetivo realista a ser atingido por meio da prática espiritual não é algum estado permanente de iluminação que não admita mais nenhum esforço, mas uma capacidade de ser livre neste momento, em meio ao que quer que esteja acontecendo. Se conseguir fazer isso, você terá resolvido a maioria dos problemas que encontrará na vida.

2. O mistério da consciência

A investigação da natureza da própria consciência — e a transformação de seus conteúdos por meio de treinamento deliberado — é a base da vida espiritual. Para a ciência, porém, a consciência continua sendo notoriamente difícil de entender e até mesmo de definir. Já se travaram muitos debates sobre sua natureza sem que os participantes encontrassem ao menos um tema comum como base. Não precisamos recapitular o histórico de nossa falta de clareza na questão, mas será útil examinarmos rapidamente por que a consciência ainda representa um desafio ímpar para a ciência. Isso feito, veremos que a espiritualidade não é importante apenas para se viver bem; ela é essencial para se compreender a mente humana.

Em um dos ensaios mais influentes já escritos sobre a consciência, o filósofo Thomas Nagel pede para que imaginemos como seria pensarmos que somos um morcego.[1] Seu interesse não está nos morcegos, e sim em como definimos o conceito de "consciência". Nagel defende que um organismo é consciente "se e somente se existir alguma coisa que seja como *ser* esse organismo

— alguma coisa que seja como ela é *para* o organismo". A depender de você julgar essa afirmação brilhante, trivial ou simplesmente desnorteadora, sua escolha provavelmente dirá muito sobre seu apetite por filosofia. "Brilhante" e "trivial" podem ser justificáveis, mas a noção de Nagel não deve confundir o leitor. Ele pede apenas para que você se imagine trocando de lugar com um morcego. Se, ao fazê-lo, lhe restar *alguma* experiência, por mais indescritível que seja — um espectro de visões, sons, sensações, sentimentos —, *isso* é o que é consciência no caso de um morcego. Se, por outro lado, se transformar em um morcego for equivalente à aniquilação, podemos dizer então que os morcegos não são conscientes.[2] O argumento de Nagel é que, independentemente do que mais a consciência possa implicar em termos físicos, a diferença entre consciência e inconsciência é uma questão de experiência subjetiva. Ou as luzes estão acesas, ou não estão.[3]

Mas a experiência é uma coisa, e nossa progressiva descrição científica da realidade é outra. Neste momento, você pode estar vividamente cônscio de estar lendo este livro, mas desatento para os fenômenos eletroquímicos que ocorrem em cada uma das trilhões de sinapses em seu cérebro. Por mais conhecimentos que tenha sobre física, química e biologia, você vive em outro lugar. Na sua *experiência,* você não é um conjunto de átomos, moléculas e células; você é uma consciência e seus conteúdos sempre mutantes, que passam por vários estágios de vigília e sono, do berço ao túmulo.

E a questão de como a consciência se relaciona com o mundo físico continua a ser um enigma notável. Temos razões para acreditar que, em sistemas complexos como um cérebro humano, ela emerge com base no processamento de informações, porque, ao olharmos para o universo, nós o encontramos repleto de estruturas mais simples, como estrelas, e de processos, como a fusão nuclear, que não apresentam sinais exteriores de consciência.

Entretanto, nossas intuições nesse campo podem não ser grande coisa. Afinal de contas, como seria a aparência do Sol se ele fosse consciente? Talvez exatamente a mesma que ele tem agora. (Você esperaria que ele falasse?) No entanto, de alguma forma, parece muito menos provável que as estrelas sejam conscientes e mudas do que totalmente destituídas de vida interior.

Seja qual for a relação fundamental entre consciência e matéria, quase todos concordariam que, em alguma etapa do desenvolvimento de organismos complexos como o nosso, a consciência *parece* surgir. O surgimento não depende de uma troca de materiais, porque você e eu somos construídos de átomos iguais aos de uma samambaia ou de um sanduíche de presunto. Em vez disso, o nascimento da consciência tem de ser resultado de uma organização: parece que dispor os átomos de determinados jeitos produz a experiência de *ser* essa mesma coleção de átomos. Eis, sem dúvida alguma, um dos mistérios mais profundos que nos foi dado contemplar.[4]

Entretanto, Nagel estava certo ao observar que a realidade da consciência é, antes de tudo, subjetiva — pois ela é simplesmente a própria subjetividade. E a questão não é se algo *parece* consciente visto de fora. Conheço um homem que acordou durante uma cirurgia, apesar de lhe terem aplicado uma anestesia geral. Devido ao componente paralisante da anestesia, no entanto, ele não pôde indicar aos médicos que estava acordado e sentindo o procedimento muito mais do que gostaria. Isso era inconveniente, para dizer o mínimo, porque os médicos estavam substituindo seu fígado. Se você pensa que a parte importante da consciência é sua relação com a fala e o comportamento, pare um momento para refletir sobre o problema de estar acordado durante a anestesia. É a cura para muita filosofia de má qualidade.[5]

É, sem dúvida, um sinal de progresso intelectual o fato de que uma discussão sobre a consciência não precisa mais começar com um debate sobre sua existência. Dizer que a consciência apenas *parece* existir, do nosso interior, é admitir por completo que ela existe — porque, se as coisas parecem alguma coisa, *isso* é a consciência. Mesmo se eu fosse neste momento apenas um cérebro em uma cuba — e todas as minhas memórias fossem falsas, e todas as minhas percepções fossem sobre um mundo que não existe —, o fato de que estou *tendo uma experiência* é incontestável (ao menos para mim). Isso é tudo o que eu (ou qualquer outro ser senciente) preciso para estabelecer plenamente a realidade da consciência. A consciência é a única coisa neste universo que não pode ser uma ilusão.[6]

Conforme nossa compreensão do mundo físico evoluiu, a noção do que se classifica como "físico" se ampliou consideravelmente. Um mundo fervilhante de campos e forças, flutuações de vácuo e o resto da produção diáfana da física moderna não é o mundo físico do senso comum. Na verdade, parece que nosso senso comum empacou em algum momento do século XVI. Em geral, também se esquece que muitos dos patriarcas da física na primeira metade do século XX costumavam impugnar a "fisicalidade" do universo e consideravam a mente — ou os pensamentos, ou a própria consciência — a própria fonte de realidade. Ideias não reducionistas como as de Arthur Eddington, James Jeans, Wolfgang Pauli, Werner Heisenberg e Erwin Schrödinger parecem não ter tido impacto duradouro.[7] De certo modo, podemos ser gratos por isso, porque havia muita mistificação no ar. Pauli, por exemplo, era devoto de Carl Jung, que parece ter analisado nada menos que 1300 sonhos do grande homem.[8] Embora Pauli fosse um dos titãs da física, é provável que suas ideias sobre a irredutibilidade da mente devam tanto à imaginação febril de Jung quanto à mecânica quântica.

Por fim, o fascínio pelo sobrenatural se amainou. Assim que os físicos se lançaram à atividade cuidadosa da construção de bombas, fomos aparentemente devolvidos a um universo de objetos — e a um estilo de discurso, em todos os ramos da ciência e da filosofia, que fazia com que a mente parecesse madura para a redução ao mundo "físico".

Esses avanços incomodam muito os pensadores *new age* — ou os incomodariam, se eles se dignassem a tomar conhecimento deles. Autores que se desdobram para ligar a espiritualidade à ciência costumam ancorar as esperanças em equívocos sobre a "interpretação de Copenhague para a mecânica quântica", que eles apontam como prova de que a consciência desempenha um papel central na determinação do caráter do mundo físico. Se nada é real até que seja observado, a consciência não pode surgir de eventos eletroquímicos nos cérebros de animais como nós; ela tem de ser parte da própria estrutura da realidade. Mas essa não é, de modo algum, a posição da corrente dominante da física. É verdade que, segundo Copenhague, os sistemas de mecânica quântica não se comportam do modo clássico até que sejam observados, e antes disso parecem existir simultaneamente em muitos estados diferentes. Mas o que é considerado "observação" na visão original de Copenhague nunca foi definido com clareza. A ideia foi refinada desde então e não tem relação nenhuma com a consciência. Não é que os mistérios da mecânica quântica tenham sido solucionados — o quadro físico é estranho de qualquer ângulo que o examinemos. E o problema de como uma realidade básica da mecânica quântica se torna o mundo aparentemente tradicional de mesas e cadeiras não é bem compreendido. No entanto, não há razão para se pensar que a consciência seja essencial ao processo. Parece certo, portanto, que qualquer um que basear a espiritualidade em interpretações equivocadas da física dos anos 1930 fatalmente se decepcionará. Como veremos, o elo entre espiritualidade e ciência deve ser buscado em outro lugar.[9]

Sabemos, é claro, que as *mentes* humanas são produtos de cérebros humanos. Ninguém contesta que sua capacidade para decodificar e entender esta frase depende de fenômenos neurofisiológicos que ocorrem em sua cabeça neste momento. Mas a maior parte do trabalho mental acontece totalmente às escuras, e é um mistério a razão de por que qualquer parte do processo deveria ser acompanhada pela consciência. Nada em um cérebro, quando examinado como um sistema físico, sugere que ele seja um local de experiências. Se já não estivéssemos transbordando de consciência, não encontraríamos indícios dela no universo — nem teríamos nenhuma ideia sobre os muitos estados existenciais que ela ocasiona. A única prova de que ser você, neste momento, é como ser alguma coisa é o fato (óbvio apenas para você) de que ser você é como ser alguma coisa.[10]

Independentemente do modo como nos propusermos a explicar o surgimento da consciência — em termos biológicos, funcionais, computacionais ou quaisquer outros —, concordamos com o seguinte: primeiro há um mundo físico, inconsciente e fervilhante de eventos despercebidos; depois, em virtude de alguma propriedade ou processo físico, surge, ou vacila, no interior do ser, a consciência propriamente dita. A ideia me parece não apenas estranha, mas bastante misteriosa. Isso não significa que ela não seja verdadeira. No entanto, quando refletimos a fundo sobre os detalhes, a noção do surgimento parece o mero substituto de um milagre.

A consciência — o puro fato de que este universo é iluminado pelo senso — é exatamente o que a inconsciência não é. E acredito que nenhuma descrição da complexidade inconsciente a explicará por completo. Afirmar apenas que a consciência surgiu em algum momento da evolução da vida, e que ela resulta de um arranjo específico de neurônios que disparam em harmonia em um cérebro individual, não nos dá a menor indicação de *como* ela pôde surgir de processos inconscientes, mesmo em princípio. Mas isso não quer dizer que alguma outra tese sobre a consciência tenha de ser verdadeira. A consciência pode muito bem ser o produto resultante de leis de um processamento inconsciente de informações. Mas não sei o que essa frase realmente significa, e acho que ninguém sabe.[11] Essa situação é caracterizada como uma "lacuna explicativa"[12] e como "o difícil problema da consciência"[13]; e sem dúvida ela é as duas coisas. Alguns filósofos aventam que a relação entre mente e corpo só será compreendida com referência a conceitos que não são nem físicos nem mentais, e, sim, de algum modo, "neutros".[14] Outros afirmam que a consciência pode ser conhecida como o produto de causas físicas, mas não pode ser reduzida conceitualmente a tais causas.[15] Outros, ainda, argumentam que a ideia de uma explicação física não redutiva é incoerente.[16]

Simpatizo com os que sugerem, como o filósofo Colin McGinn e o psicólogo Steven Pinker, que talvez o surgimento da consciência seja simplesmente incompreensível para o raciocínio humano.[17] Cada cadeia de explicação tem de terminar em algum ponto — quase sempre em um fato primário que não se dá ao trabalho de explicar a si mesmo. Talvez a consciência apresente um impasse desse gênero.[18]

Seja como for, a tarefa de se explicar a consciência em bases físicas tem pouca semelhança com outras explicações bem-sucedidas na história da ciência. As analogias que cientistas e filósofos mobilizam neste caso são invariavelmente enganosas. Por exemplo, o fato de que agora podemos descrever as propriedades da matéria, como a fluidez, em termos de eventos microscópicos que não são "fluidos", não sugere um modo para entender a consciência como uma propriedade que surge do mundo inconsciente. É fácil ver que nenhuma molécula de água, isoladamente, pode ser "fluida", e é fácil ver que bilhões dessas moléculas, passando livres umas pelas outras, parecem ter "fluidez" na escala de uma mão humana. O que não é fácil de ver é como analogias desse tipo convenceram tanta gente de que a consciência pode ser explicada de pronto com base no processamento de informações.[19]

Para que uma explicação sobre um fenômeno seja satisfatória, ela precisa, no mínimo, ser *inteligível*. Nesse aspecto, o surgimento da fluidez não traz problema algum: o livre deslizamento de moléculas parece ser exatamente o tipo de coisa que deve ser verdade para que uma substância assegure sua fluidez. Por que posso passar a mão através da água, mas não através da pedra? Porque as moléculas da água não são ligadas com tanta força a ponto de resistir ao meu movimento. Note que essa explicação para a fluidez é totalmente reducionista: a fluidez, na realidade, é "nada mais que" a livre movimentação de moléculas. Para que a explicação seja suficiente, temos de admitir que moléculas existem, é claro, mas, assim que o fazemos, o problema está resolvido. Ninguém descreveu um conjunto de eventos inconscientes cuja suficiência como causa de consciência fizesse sentido desse modo. Qualquer tentativa de compreender a consciência em termos de atividade cerebral simplesmente correlaciona a capacidade de uma pessoa para relatar uma experiência (demonstrando que ela se apercebe dela) com estados específicos de seu cérebro. Embora tais correlações possam representar uma neurociência fascinante, elas não nos deixam mais próximos de explicar o surgimento da consciência propriamente dito.

É quase certo que chegará um tempo em que construiremos um robô cuja expressividade facial, tom de voz e flexibilidade de pensamento nos levará a pensar na possibilidade de ele ser consciente. O robô poderia inclusive afirmar que é consciente e ansiar pela participação nos tipos de experimentos que fazemos hoje com seres humanos, o que nos permitiria correlacionar suas respostas a estímulos a mudanças em seu "cérebro". No entanto, parece claro que, a menos que possamos fazer mais que isso, jamais saberemos se existe "algo que seja como" ser uma máquina assim.[20]

Alguns leitores podem pensar que faço um jogo de cartas marcadas contra as ciências da mente ao comparar a consciência com um fenômeno compreendido com tanta facilidade quanto a fluidez. Decerto a ciência solucionou mistérios muito maiores. Por exemplo, qual é a diferença entre um sistema vivo e um morto? Até o ponto em que as questões sobre a consciência possam ser mantidas fora da jogada, parece que a diferença é razoavelmente clara para nós. Entretanto, ainda em 1932, o fisiologista escocês J. S. Haldane (pai de J. B. S. Haldane) escreveu:

> Que explicação inteligível a teoria mecanicista da vida pode dar para [...] a recuperação de doenças e lesões? Absolutamente nenhuma, exceto a de que esses fenômenos são tão complexos e estranhos que até o momento não conseguimos compreendê-los. O mesmo se dá com os fenômenos estritamente relacionados da reprodução. Não podemos, por nenhum voo de imaginação, conceber um mecanismo delicado e complexo que seja capaz, como um organismo vivo, de se reproduzir com uma frequência indefinida.[21]

Mal se passaram vinte anos e nossa imaginação teve esse voo. Muito ainda se tem a fazer em biologia, mas, a essa altura, qualquer um que acredite no *vitalismo** é totalmente ignorante quanto à natureza dos sistemas vivos. Já não se discutem questões desse

* *Vitalismo* é a hoje desacreditada doutrina de que os sistemas vivos requerem algum princípio não físico que explique sua organização e comportamento. (N. A.)

tipo, e faz mais de meio século que as criaturas do planeta não requerem um élan vital para se reproduzir ou se recuperar de lesões. Será que meu ceticismo sobre uma explicação física da consciência é análogo à dúvida de Haldane sobre a viabilidade de explicar a vida com base em processos que não são eles mesmos vivos?

É possível que não. Dizer que um sistema é vivo se assemelha muito a dizer que ele é fluido, porque a vida depende do que os sistemas fazem em relação ao ambiente. Assim como a fluidez, a vida é definida por critérios externos. A consciência, não (e, acredito, não pode ser). Nunca teremos oportunidade de dizer que algo que não come, não excreta, não cresce nem se reproduz possa estar "vivo". Entretanto, ele pode ter consciência.[22]

Apesar disso, uma neurociência madura poderia explicar adequadamente a consciência com base em seus processos cerebrais básicos? Repito: não há nada em um cérebro, em qualquer escala que seja estudado, capaz de ao menos *sugerir* que ele possa abrigar uma consciência — salvo o fato de que experimentamos a consciência diretamente e correlacionamos muitos de seus conteúdos, ou a ausência deles, a processos em nosso cérebro. Nada no comportamento, na linguagem ou na cultura humana demonstra que eles sejam mediados pela consciência, exceto pelo simples fato de que sabemos que o são — uma verdade que alguém pode avaliar diretamente, em si mesmo, e em outros, por analogia.[23]

É nisso que se torna fundamental a distinção entre estudar a consciência propriamente dita e estudar seus *conteúdos*. É fácil ver como os conteúdos da consciência podem ser compreendidos pelos critérios da neurofisiologia. Considere, por exemplo, nossa experiência de ver um objeto: a cor, os contornos, o movimento perceptível e a localização no espaço surgem na consciência como uma unidade inconsútil, muito embora essas informações sejam processadas por muitos sistemas distintos no cérebro. Quando um jogador de golfe se prepara para dar uma tacada, por exemplo, ele não vê primeiro que a bola é redonda, depois que é branca e só então ele enxerga a posição da bola no *tee*. Em vez disso, ele tem uma percepção unificada da bola. Muitos neurocientistas supõem que esse fenômeno de "ligação" pode ser explicado por uma sincronia dos disparos de grupos distintos de neurônios.[24] Seja ou não verdadeira, essa teoria é ao menos inteligível — porque a atividade sincrônica parece ser justamente o tipo de coisa capaz de explicar a unidade de um percepto.

Esse trabalho sugere, como diversas outras descobertas da neurociência, que muitas vezes é possível entender os *conteúdos* da consciência em termos de sua neurofisiologia básica.[25] No entanto, quando indagamos por que, afinal, esses fenômenos são vivenciados, voltamos por completo ao mistério da consciência.[26]

Infelizmente, as tentativas de localizar a consciência no cérebro em geral não distinguem entre a consciência e seus conteúdos. Em consequência, muitos pesquisadores consideram uma forma de consciência (ou uma classe de seus conteúdos) como uma visão suficiente do todo. Por exemplo, Christof Koch e outros fizeram estudos engenhosos sobre a visão, procurando as regiões do cérebro que codificam a percepção visual consciente.[27] O fenômeno da *rivalidade binocular* proporcionou uma base bem útil a essas pesquisas: quando se fornece um estímulo visual diferente a cada olho, a experiência consciente do indivíduo não é uma fusão das duas imagens, mas uma série de transições aparentemente aleatórias entre os estímulos. Se, por exemplo, alguém lhe mostra a imagem de uma casa em um olho e a de um rosto humano no outro, você não verá as duas imagens competindo entre si ou sobrepostas. Verá a casa por alguns segundos, depois o rosto, e novamente a casa, trocando as imagens a intervalos aleatórios. Esse fenômeno permitiu que os cientistas procurassem as regiões do cérebro (de humanos e macacos) que respondessem a uma mudança na percepção consciente. A situação psicofísica parece feita sob medida para distinguirmos a fronteira entre os componentes conscientes e inconscientes da visão, porque o input permanece constante — cada olho recebe a impressão contínua de uma única imagem — enquanto em alguma parte do cérebro uma mudança total nos conteúdos da consciência ocorre a cada poucos segundos. Isso é interessantíssimo — entretanto, os sujeitos que experimentam a rivalidade binocular estão *conscientes* durante todo o experimento; apenas os conteúdos da percepção visual foram modulados pela tarefa. Se você fechar os olhos neste momento, os conteúdos de sua consciência mudarão drasticamente, mas a sua consciência (muito possivelmente) não.

Isso não quer dizer que nossa compreensão da mente não mudará de maneira surpreendente com o estudo do cérebro. Talvez não haja limites aos modos como uma neurociência madura possa reformular nossas ideias a respeito da natureza da experiência consciente. Estamos inconscientes durante o sono ou apenas somos incapazes de nos lembrar como é estar dormindo? É possível duplicar mentes humanas? A neurociência pode, um dia, responder a essas questões, e as respostas podem nos surpreender.

A realidade da consciência, porém, parece irredutível. Apenas a consciência pode conhecer a si mesma — e, diretamente, pela experiência pessoal. Em decorrência disso, a introspecção rigorosa — a "espiritualidade", no sentido mais amplo do termo — é parte indispensável da compreensão da natureza da mente.

A MENTE DIVIDIDA

Entretanto, para que a espiritualidade se torne parte da ciência, ela deve se integrar ao resto do que sabemos sobre o mundo. É óbvio, há muito tempo, que as abordagens tradicionais da espiritualidade não são capazes de fazê-lo, porque se baseiam, em algum grau, em mitos religiosos e superstições. Consideremos a ideia de que o ser humano, exclusivamente entre todos os animais da natureza, foi dotado de alma imortal. O dogma passou a sofrer pressão no momento em que Darwin publicou *A origem das espécies*, em 1859, mas agora está definitivamente morto. Ao sequenciarmos uma grande variedade de genomas, provamos por fim que nossa continuidade com todas as formas de vida é inegável. Somos feitos da mesma matéria que as leveduras. É claro que apenas 25% dos americanos acreditam na evolução (enquanto 68% acreditam na existência literal de Satã).[28] Mas podemos dizer agora que é pura ilusão qualquer concepção sobre nosso lugar no universo que negue que tenhamos evoluído de formas de vida mais primitivas.

A neurociência também produziu resultados igualmente hostis à tradicional noção de alma — e, portanto, a toda abordagem da espiritualidade que pressuponha sua existência. Uma das descobertas, demonstrada de modo conclusivo em humanos e animais desde os anos 1950, é amplamente conhecida como o "cérebro dividido" — um fenômeno tão contrário ao senso comum que, mesmo na cultura científica, desafiou a integração às nossas ideias.

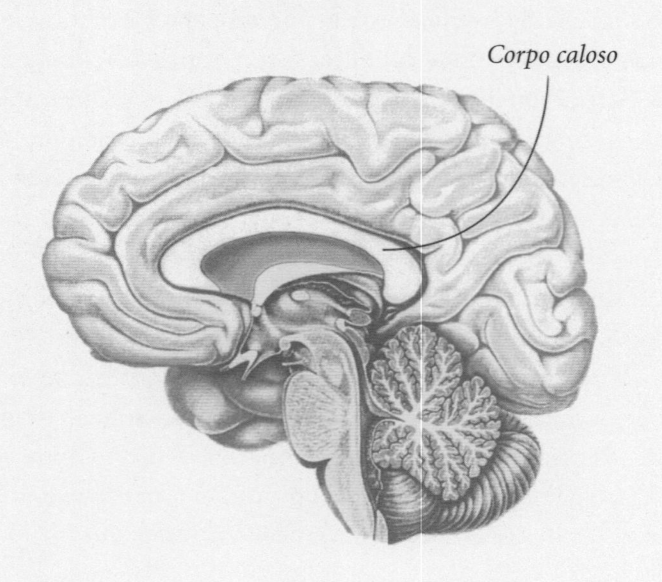

O encéfalo humano se divide, ao nível do cérebro (tudo acima do tronco encefálico), em hemisférios direito e esquerdo. Não se sabe ainda a razão disso, mas não parece de todo estranho que a simetria esquerda-direita do corpo se reflita no sistema nervoso central. Essa estrutura tem consequências surpreendentes.

Os hemisférios direito e esquerdo do cérebro de todos os vertebrados são conectados por vários tratos nervosos, as chamadas "comissuras", cuja função, hoje sabemos, é permitir a passagem de informações entre os dois hemisférios. A principal comissura no cérebro dos mamíferos placentários como nós é o *corpo caloso*, cujas fibras ligam regiões semelhantes do córtex nos dois hemisférios. A história evolutiva dessa estrutura ainda é controversa, mas, no ser humano, ela representa um sistema de conectividade maior do que a soma de todas as fibras que ligam o córtex ao resto do sistema nervoso.[29] Como logo veremos, a unidade de cada mente humana depende do funcionamento normal dessas conexões. Sem elas, nosso cérebro — e nossa mente — é dividido.

Algumas pessoas tiveram as comissuras do prosencéfalo seccionadas cirurgicamente. Esse procedimento costuma ser realizado como tratamento para epilepsia grave, mas às vezes outras cirurgias também requerem o corte de algumas dessas fibras. Como tratamento da epilepsia, certos pacientes são submetidos à calosotomia, na qual se secciona parte ou o todo do corpo caloso para impedir que tempestades locais de atividade desregulada se disseminem por todo o cérebro e produzam uma convulsão.[30]

O cérebro dividido ganhou atenção mundial um século atrás graças a Roger W. Sperry e colegas.[31] Sperry recebeu o prêmio Nobel em 1981 por esse trabalho, inspirador de uma literatura que hoje abrange neurociência, psicologia, linguística, psiquiatria e filosofia. Antes de Sperry começar suas pesquisas, parecia que dividir o cérebro desses pacientes apenas mitigava suas convulsões (afinal de contas, esse era o objetivo), sem produzir mudanças no comportamento. Isso parecia corroborar a antiga noção de que o corpo caloso só servia para manter juntos os dois hemisférios cerebrais.

Quando os pacientes se recuperavam da cirurgia, eles em geral pareciam bem normais, mesmo em um exame neurológico.[32] Mas, sob as condições experimentais concebidas por Sperry e seus colegas, primeiro em gatos e macacos,[33] depois em humanos,[34] duas constatações principais emergiram. Primeiro, os hemisférios esquerdo e direito do cérebro têm alto grau de *especialização funcional*. A descoberta não era de todo nova, porque já se sabia havia no mínimo um século que uma lesão no hemisfério esquerdo podia prejudicar o uso da linguagem. O procedimento da divisão cerebral permitiu que os cientistas testassem cada hemisfério independentemente em diversas tarefas, revelando que existe um conjunto de habilidades segregadas. A segunda constatação foi que, quando se cortam as comissuras do prosencéfalo, os hemisférios apresentam uma *independência funcional* espantosa, incluindo memórias, processos de aprendizagem, intenções comportamentais e — parece quase certo — centros de experiência consciente, tudo isso em separado.

A independência dos hemisférios em um paciente com cérebro dividido ocorre porque a maioria dos tratos nervosos que vêm e vão no córtex são segregados, à esquerda e à direita. Tudo o que incide no campo visual esquerdo de cada olho, por exemplo, é projetado para o hemisfério direito do cérebro e vice-versa. O mesmo padrão vale para as sensações e o controle motor fino em nossas extremidades. Cada hemisfério depende, portanto, de comissuras intactas para receber informações de seu próprio lado do mundo. Embora raramente seja capaz de falar, já que a fala costuma estar confinada ao hemisfério esquerdo, o hemisfério direito pode responder a perguntas apontando com a mão esquerda para palavras escritas e objetos.

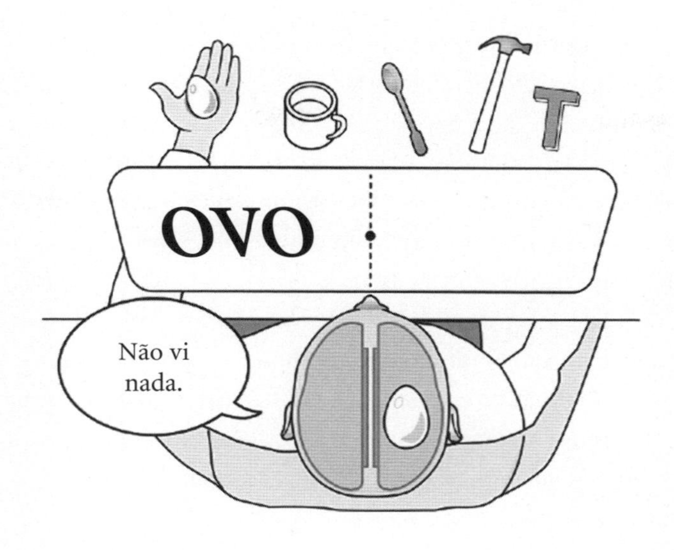

A demonstração clássica da independência hemisférica em um paciente com o cérebro dividido é a seguinte: mostra-se rapidamente uma palavra ao hemisfério direito — *ovo*, por exemplo — na metade esquerda do campo visual, e o sujeito (falando graças ao seu hemisfério esquerdo, dominante na linguagem) afirma que não viu nada. Pede-se a ele que tateie atrás de uma divisória e escolha, com a mão esquerda (que é predominantemente controlada pelo hemisfério direito) a coisa que ele "não viu", e ele pega um ovo em meio a uma profusão de objetos. Pede-se que diga o nome do objeto que ele tem agora na mão esquerda sem permitir que o hemisfério esquerdo o veja, e ele não consegue responder. Se lhe mostrarem o ovo e perguntarem por que ele o escolheu em meio aos objetos disponíveis, é provável que invente uma resposta (mais uma vez, com seu hemisfério esquerdo, dominante na linguagem), dizendo, por exemplo, "Ah, peguei porque ontem comi ovos no almoço". Essa situação é bem curiosa.

Quando se investiga desse modo a lateralização dos inputs, fica difícil dizer que a pessoa cujo cérebro foi dividido é um sujeito único do experimento, porque tudo em seu comportamento indica que uma inteligência silenciosa espreita em seu hemisfério direito, sobre a qual o articulado hemisfério esquerdo nada sabe. A dualidade da mente é demonstrada também pelo fato de que os pacientes podem executar ao mesmo tempo tarefas manuais distintas. Por exemplo, uma pessoa com um cérebro de funcionamento normal não consegue desenhar figuras incompatíveis ao mesmo tempo com as mãos esquerda e direita; já as de cérebro dividido realizam a tarefa com facilidade, como se fossem dois artistas trabalhando lado a lado. Na fase aguda pós-cirurgia, as duas mãos dos pacientes às vezes disputam um objeto como em um cabo de guerra ou sabotam as tarefas umas das outras. O hemisfério esquerdo pode falar sobre sua condição e até entender os detalhes anatômicos do procedimento que a acarretou, mas permanece notavelmente ignorante da experiência de seu vizinho da direita. Mesmo muitos anos depois da cirurgia, o hemisfério esquerdo dos pacientes expressa surpresa ou irritação quando o hemisfério direito responde a instruções do cientista.[35] Perguntar ao hemisfério esquerdo como é não saber o que o hemisfério direito está pensando é bem parecido com perguntar a um sujeito normal como é não saber o que outra pessoa está pensando: ele simplesmente *não sabe* o que a outra pessoa está pensando (nem, talvez, que ela existe).

O mais surpreendente no fenômeno do cérebro dividido é que temos todas as razões para acreditar que o hemisfério direito isolado tem uma consciência independente. É verdade que alguns cientistas e filósofos resistem a essa conclusão,[36] mas nenhum apresentou uma refutação digna de crédito. Se a linguagem complexa fosse necessária para a consciência, todos os animais não humanos e todos os bebês humanos seriam, em princípio, desprovidos de consciência. Se as pessoas que tiveram o hemisfério esquerdo removido cirurgicamente ainda são consideradas conscientes — e elas o são —, como a mera presença de um hemisfério esquerdo funcionando poderia tirar do hemisfério direito a subjetividade no caso de um paciente com cérebro dividido?[37]

É especialmente difícil de negar a consciência do hemisfério direito sempre que um sujeito possui habilidades linguísticas em ambos os lados do cérebro, porque nesses casos é frequente que os hemisférios divididos expressem intenções diferentes. Em um exemplo famoso, perguntaram a um jovem paciente o que ele queria ser quando crescesse. Seu hemisfério esquerdo respondeu "desenhista", enquanto o direito usou cartões com letras para soletrar "piloto de corrida".[38] Às vezes, os hemisférios divididos parecem se dirigir diretamente um ao outro, na forma de uma discussão verbalizada inter-hemisférica.[39]

Nesses casos, cada hemisfério pode muito bem ter suas próprias crenças. Considere o que isso diz sobre o dogma — muito presente no cristianismo e no islamismo — de que a salvação de uma pessoa depende da crença na doutrina correta sobre Deus. Se o hemisfério esquerdo de um paciente com cérebro dividido aceita a divindade de Jesus, mas o direito não, devemos imaginar que essa pessoa agora tem duas almas imortais, uma destinada à companhia dos anjos e a outra à eternidade no fogo do inferno?

A questão sobre a existência de "algo que seja como" ser o hemisfério direito para um paciente de cérebro dividido tem de ser respondida do único modo como é sempre respondida na ciência: podemos apenas observar que seu comportamento e a neurologia em que ele se baseia são semelhantes o bastante ao que sabemos estar correlacionado à consciência em nosso próprio caso. Não há dificuldade em fazer isso para um paciente normal com cérebro dividido que conservou a capacidade de usar a mão esquerda. Na verdade, é mais fácil estabelecer a consciência do hemisfério direito desconectado do que na da maioria das crianças com idade entre um e dois anos. A questão de o hemisfério direito ser consciente ou não é, na realidade, um pseudomistério usado para trancar a porta de outro maior: o assombroso fato de que a mente humana pode ser dividida com uma faca.

ESTRUTURA E FUNÇÃO

Os hemisférios direito e esquerdo do nosso cérebro mostram diferenças em sua anatomia macroscópica, muitas das quais também são encontradas no cérebro de outros animais. Nos humanos, o hemisfério esquerdo fornece, em geral, uma contribuição única para a linguagem e para a execução de movimentos complexos. Em consequência, uma lesão nesse lado tende a ser acompanhada por *afasia* (defeito na fala ou na linguagem escrita) e *apraxia* (defeito no movimento coordenado).

As pessoas costumam ter mais facilidade no ouvido direito (hemisfério esquerdo) para captar palavras, números, sílabas sem sentido, código morse, ritmos difíceis e a ordenação de informações temporais, e no ouvido esquerdo (hemisfério direito) para melodias, acordes musicais, sons do ambiente e tons de voz. Diferenças análogas foram encontradas também para outros sentidos. Sabemos, por exemplo, que a mão direita (cujas sensações se projetam quase totalmente para o hemisfério esquerdo) é melhor para discriminar a ordem de estímulos, enquanto a mão esquerda é mais sensível às suas características espaciais.

Entretanto, o hemisfério direito é dominante em muitas capacidades cognitivas superiores, tanto nos cérebros normais como nos que foram divididos por cirurgia. O hemisfério direito tende a apresentar mais facilidade para interpretar expressões faciais, intuir princípios geométricos e relações espaciais, perceber o todo a partir de uma coleção de partes e avaliar acordes musicais.[40] Também tem mais facilidade para expressar emoções (com o lado esquerdo do rosto) e detectar emoções em outras pessoas.[41] Curiosamente, isso nos obriga a ver o lado do rosto menos expressivo dos outros (o direito) com nosso hemisfério emocionalmente mais astuto (o direito) e vice-versa. Os psicopatas, em geral, não mostram essa vantagem do hemisfério direito na percepção de emoções; talvez seja uma das razões por que eles têm dificuldade para detectar o sofrimento emocional em outras pessoas.[42]

A maioria dos dados indica que os dois hemisférios diferem em temperamento, e agora parece indiscutível a afirmação de que eles podem dar contribuições diferentes (e até opostas) à vida emocional do indivíduo.[43] Em um cérebro dividido, os hemisférios provavelmente não percebem o self e o mundo da mesma maneira; também é provável que não se sintam do mesmo modo em relação a eles.

Boa parte do que nos faz humanos costuma ser obra do lado direito do cérebro. Em consequência, temos todas as razões para crer que o hemisfério direito desconectado possui uma consciência independente e que o cérebro dividido abriga dois pontos de vista distintos. Esse fato traz um problema intransponível para a ideia de que cada um de nós possui um self único e indivisível — que dirá uma alma imortal. A ideia da alma surge da sensação de que nossa subjetividade possui uma unidade, simplicidade e integridade que devem, de algum modo, transcender as engrenagens bioquímicas do corpo. Mas o fenômeno do cérebro dividido prova que a subjetividade pode, literalmente, ser fatiada em duas. (É por isso que Sir John Eccles, neurocientista e cristão convicto, declarou, contrariando todas as evidências, que o hemisfério direito do cérebro dividido só pode ser inconsciente.) Isso tem repercussões éticas interessantes. O biólogo Lee Silver indaga, por exemplo, o que deveríamos fazer se uma pessoa com cérebro dividido desejar que seu hemisfério direito seja removido porque não suporta mais o conflito com "seu outro eu". Seria uma intervenção terapêutica ou um assassinato? Entretanto, as implicações mais importantes são para nossa concepção da consciência: ela é divisível — portanto, mais fundamental do que todo self aparente.

Imagine que você seja submetido a uma calosotomia total. Como na maioria das cirurgias do gênero, você poderia permanecer acordado, porque o cérebro não possui receptores para a dor. Também não há razão para supor que você perderia a consciência durante o processo, uma vez que é possível remover um hemisfério inteiro de uma pessoa (*hemisferectomia*) sem que ela perca a consciência.[44] Você também não sofreria nenhum lapso de memória. Após a cirurgia, você tenderia a falar de um modo que caracteriza a *alexitimia* (incapacidade de exprimir sua vida emocional) e talvez também demonstrasse um grau inapropriado de polidez.[45] Quer você notasse ou não essas mudanças em si mesmo, é quase certo que poderia conservar sua sensação de ser um "self" durante toda a experiência.

Uma vez que cada hemisfério em seu cérebro dividido teria seu próprio ponto de vista, ao passo que agora você pareceria ter apenas um, seria natural perguntar em qual lado da fissura longitudinal "você" se encontraria assim que o corpo caloso fosse cortado. Você iria parar do lado direito ou do esquerdo? É difícil contrariar as imposições singulares da aritmética aqui. Supondo que você não fosse somente extinto e substituído por dois novos sujeitos — uma hipótese que parece descartada já que é provável que você permanecesse consciente durante todo o processo e que conservasse suas memórias —, seria tentador concluir que sua subjetividade teria de se reduzir a um único hemisfério. Concluída a cirurgia, seria óbvio que *você* não poderia estar dos dois lados da grande divisão.

Talvez seja razoável acreditar que você se encontraria no hemisfério esquerdo, conservando os controles da fala, porque a fala e o pensamento discursivo contribuem muito para definir a experiência no presente. Mas considere algumas das outras capacidades cognitivas de que você agora desfruta conscientemente, as quais, sabemos, são governadas primariamente por seu hemisfério direito. Quem, por exemplo, receberia com a mão esquerda estendida seus entes queridos e reconheceria sem esforço os seus rostos, expressões faciais e tons de voz?

A meu ver, o enigma admite uma solução bem direta. A consciência — seja qual for sua relação com os eventos neurais — é divisível. E assim como não é compartilhada pelos cérebros de indivíduos distintos, ela também não precisa ser compartilhada entre os hemisférios de um único cérebro quando as estruturas que facilitam o compartilhamento são seccionadas. Se um dia se descobrir algum modo de ligar dois cérebros com uma comissura artificial, devemos prever que o que haviam sido duas pessoas distintas será unificado no único sentido em que a *consciência* é unificada: como um só ponto de vista, e unificado no único sentido em que *mentes* são unificadas: em virtude de conteúdos e capacidades funcionais em comum.

A experiência de sonhar é instrutiva aqui. Toda noite nos deitamos para dormir e somos roubados da nossa cama e mergulhados em um reino onde nossas histórias pessoais e as leis da natureza não mais se aplicam. Em geral, não retemos um apoio suficiente na realidade nem sequer para notar que alguma coisa fora do comum aconteceu. A qualidade mais espantosa dos sonhos é, sem dúvida, nossa *falta* de espanto quando eles surgem. O cérebro adormecido parece não ter expectativa de continuidade de um instante ao momento seguinte. (É provável que isso se deva à diminuição da atividade nos lobos frontais que ocorre durante o sono REM.) Portanto, em princípio, mudanças drásticas em nossa experiência não depõem contra a unidade da consciência. Se deixada por conta própria, a consciência parece feliz pelo simples fato de experimentar uma coisa depois da outra.

Se meu cérebro abriga apenas um ponto de vista consciente — se tudo o que é lembrado, tencionado e percebido é conhecido por um único "sujeito" —, eu desfruto, em consequência, da unidade da mente. Mas há evidências fortes de que essa unidade, se existir de fato mesmo em um ser humano, depende de alguns humildes tratos de substância branca que atravessam a linha mediana do cérebro.

NOSSA MENTE JÁ É DIVIDIDA?

Roger Sperry e seus colegas demonstraram nos anos 1950 que o corpo caloso não pode facilitar uma transferência completa de aprendizado entre os hemisférios cerebrais.[46] Depois de seccionar o quiasma óptico de gatos (e com isso limitar os inputs de cada olho a um único hemisfério), eles descobriram que somente o aprendizado simples adquirido por um olho podia se transferir para o outro lado do cérebro. Ao se considerar o imenso volume de processamento de informações que ocorre em cada hemisfério, parece certo que até um cérebro humano normal deve ser dividido funcionalmente em algum grau. Duzentos milhões de fibras nervosas parecem insuficientes para integrar a atividade simultânea de 20 bilhões de neurônios no córtex cerebral, cada um deles fazendo centenas ou milhares (às vezes dezenas de milhares) de conexões com seus vizinhos.[47] Dada essa divisão de informações, como nosso cérebro pode não conter múltiplos centros de consciência mesmo agora?

O filósofo Roland Puccetti observou que a existência de esferas de consciência separadas no cérebro normal explicaria uma das características mais desnorteantes das pesquisas sobre o cérebro dividido: por que o hemisfério direito, em geral, aceita ser uma testemunha silenciosa dos erros e confabulações do esquerdo? Seria porque está acostumado com isso?

> Uma resposta condizente com a hipótese da dualidade mental no cérebro humano normal vem à mente. O hemisfério não falante conhece o verdadeiro estado de coisas desde a tenra idade. Conhece porque, a partir dos dois ou três anos de idade, ele ouve a fala que emana do corpo comum, uma fala que, conforme evolui o desenvolvimento da linguagem no esquerdo, ganha demasiada complexidade gramatical e sintática para que ele acredite que a produz; o mesmo vale, claro, para o que ele observou na escrita da mão preferida ao longo dos anos escolares. Depois da cirurgia, pouca coisa mudou para o hemisfério mudo (com exceção da perda de informações sensoriais sobre a metade ipsilateral do espaço corporal). [...] Habituado como está a essa condição de servo cerebral, ele a acata. A cooperação mal-agradecida pode se tornar um modo de vida.[48]

Pare um momento para refletir sobre o quanto essa possibilidade é estranha. O ponto de vista a partir do qual você lê conscientemente estas palavras pode não ser o único ponto de vista *consciente* a ser encontrado em seu cérebro. Uma coisa é dizer que você não tem noção da quantidade colossal de atividade do seu cérebro. Outra, bem diferente, é afirmar que parte da atividade tem noção de si mesma e observa enquanto você faz cada movimento.

Tem de haver uma razão para que a integridade estrutural do corpo caloso crie uma unidade funcional da mente (até onde ela o faz), e talvez seja apenas a divisão do corpo caloso a responsável pelas regiões separadas da consciência no cérebro humano. Mas seja qual for a lição final do cérebro dividido, ela viola por completo as intuições do senso comum sobre a natureza de nossa subjetividade.

A experiência que uma pessoa tem do mundo, embora pareça unificada em um cérebro normal, pode ser dividida fisicamente. O problema que isso traz para o estudo da consciência pode ser intransponível. Se eu interrogasse meu cérebro com a ajuda de um colega — que se dispusesse a expor meu córtex para sondá-lo com um microeletrodo —, nenhum de nós saberia como interpretar uma região que não influenciasse os conteúdos da "minha" consciência. O fenômeno do cérebro dividido sugere que eu só poderia dizer se eu (como talvez apenas um dos muitos centros de consciência possíveis de serem encontrados em meu cérebro) senti ou não alguma coisa quando meu amigo aplicou a corrente. Se não sentisse, eu não saberia se os neurônios em questão constituíam uma região de consciência autônoma — pela simples razão de que eu posso ser exatamente igual a um paciente com o cérebro dividido que se pergunta, com seu hemisfério esquerdo articulado, se o hemisfério direito é consciente ou não. Certamente ele o é, e, no entanto, nenhuma quantidade de sondagem experimental evidenciará os fatos relevantes. Já que temos de correlacionar mudanças no cérebro — ou em qualquer outro sistema físico — com relatos em primeira pessoa, quaisquer sistemas físicos que sejam funcionalmente mudos podem, ainda assim, ser conscientes, e nossa tentativa de entender as causas da consciência deixarão de levá-los em conta.

Todos os cérebros — e pessoas — podem ser divididos em algum grau. Cada um de nós pode viver, inclusive nesse momento, em um estado fluido de subjetividade dividida e sobreposta. Talvez não importe se isso pareça ou não plausível para *você*. Outra parte do seu cérebro pode ver a questão de modo diferente.

PROCESSAMENTO CONSCIENTE E INCONSCIENTE NO CÉREBRO

A fronteira entre processos mentais conscientes e inconscientes fascina psicólogos e neurocientistas há mais de um século. A noção de que a mente inconsciente tem de possuir alguma estrutura cognitiva e emocional foi o alicerce do trabalho de Freud e também o palco no qual ele erigiu uma mitologia incrivelmente acientífica. A relação entre pensamentos conscientes e processos inconscientes também se fez presente na obra de William James, cujas ideias sobre o tema, e sobre a mente em geral, continuam a merecer nossa atenção:

> Suponha que você tente recordar um nome esquecido. O estado de nossa consciência é estranho. Existe nela uma lacuna, mas não uma lacuna qualquer. É uma lacuna intensamente ativa. Ela tem uma espécie de fantasma do nome a nos chamar em uma dada direção, a nos fazer, em certos momentos, arder com a sensação de proximidade, e então deixa que afundemos sem o termo ansiado. Se nos propuserem termos errados, essa lacuna singularmente definida atua de imediato para negá-los. Eles não se encaixam em seu molde. E a lacuna de uma palavra não traz a mesma sensação que a lacuna de outra, vazias de conteúdo como ambas têm de ser para que as caracterizemos como lacunas. [...] O ritmo de uma palavra perdida pode estar lá sem um som para vesti-la; ou a sensação evanescente de algo que é a vogal ou a consoante inicial pode zombar de nós intermitentemente, sem que se torne mais distinta.[49]

Em outras palavras, a mente inconsciente existe, e nossa experiência consciente nos dá alguma indicação de sua estrutura. Avanços recentes na psicologia experimental e nas técnicas de neuroimagem permitiram que estudássemos com precisão cada vez maior a fronteira entre processos mentais conscientes e inconscientes. Hoje sabemos que no mínimo dois sistemas no cérebro — designados muitas vezes como "processos duais" — governam a cognição, a moção e o comportamento humano. Um é mais antigo do ponto de vista evolutivo, inconsciente e automático; o outro evoluiu mais recentemente e é consciente e deliberativo. Quando você acha uma pessoa irritante, atraente sexualmente ou surpreendentemente engraçada, você vivencia a atuação do Sistema 1. Os esforços heroicos que você faz, por educação, para disfarçar essas sensações são obra do Sistema 2.

Os cientistas aprenderam a influenciar o Sistema 1 através do fenômeno do estímulo subliminar, revelando que processos mentais complexos espreitam sob o nível da percepção consciente.[50] A técnica experimental do mascaramento retroativo foi essencial para esse estudo: os seres humanos podem perceber conscientemente estímulos visuais brevíssimos (de até 1/30 de segundo aproximadamente), mas não são mais capazes de ver as imagens se elas forem seguidas de imediato por um padrão dessemelhante (uma "máscara"). Esse fator permite que palavras e imagens sejam enviadas à mente de modo subliminar,[51] e esses estímulos têm efeitos subsequentes na cognição e no comportamento da pessoa. Por exemplo, você reconhecerá mais rápido que *oceano* é uma palavra se ela se seguir de um estímulo associado, por exemplo, *onda*, do que se for seguida por um não relacionado, por exemplo, *martelo*. E os termos com carga emocional são mais fáceis de se reconhecer que os neutros (*sexo* pode ser apresentado com mais brevidade do que *carro*), o que reforça a ideia de que os significados das palavras têm de ser vislumbrados antes da consciência. Recompensas prometidas subliminarmente geram atividade nos centros de recompensa do cérebro,[52] e faces temerosas e palavras emocionais mascaradas aumentam a atividade da amígdala.[53] Claramente, não temos a percepção de todas as informações que influenciam nossos pensamentos, sentimentos e ações.

Muitas outras descobertas atestam a importância de nossa vida mental inconsciente. Os amnésicos, que não são mais capazes de formar memórias conscientes, podem melhorar ainda assim seu desempenho em uma grande variedade de tarefas por meio da prática.[54] Uma pessoa pode aprender a jogar golfe com habilidade crescente, por exemplo, e acreditar o tempo todo que aquela é a primeira vez na vida em que está pegando um taco. A aquisição de aptidões motoras como essa ocorre fora da consciência também em pessoas normais. As memórias conscientes de se praticar um instrumento musical, dirigir um carro ou amarrar os sapatos são neurologicamente distintas do processo de *aprender* a fazer essas coisas e do *conhecimento* que se tem de como fazê-las nesse momento. Indivíduos com amnésia podem até aprender novos fatos e melhorar sua capacidade de reconhecer nomes[55] e gerar conceitos[56] em resposta a uma exposição prévia, sem, no entanto, se lembrarem de ter adquirido tal conhecimento. Na verdade, isso se aplica a todos nós em relação à maior parte do nosso conhecimento semântico do mundo. Você se lembra de ter aprendido o significado da palavra "porta"? Como você a reconhece e traz à mente seu significado? Você não tem a menor ideia. Esses processos acontecem fora da consciência.[57]

A CONSCIÊNCIA É O QUE IMPORTA

Apesar da importância óbvia da mente inconsciente, para nós o que interessa é a consciência — não apenas para o propósito da prática espiritual, mas em todos os aspectos da vida. A consciência é a substância de toda experiência que possamos ter, agora ou no futuro. Se Deus falou a Moisés de uma moita de sarça ardente, a moita foi uma percepção visual (verídica ou não) da qual Moisés estava cônscio. Deve ficar claro que, se alguém sofre de dor ou depressão intratável, se sente um zumbido incessante no ouvido ou as consequências de ter adquirido má reputação entre os colegas, essas percepções são produto da consciência e de seus conteúdos, seja qual for a natureza dos processos inconscientes que as originaram.

A consciência também é o que dá uma dimensão moral à vida. Sem ela não teríamos motivo para nos perguntar como devemos nos comportar em relação a outros seres humanos, tampouco nos importaríamos com o modo como eles nos tratam em retribuição. É verdade que muitas emoções e intuições morais operam inconscientemente, mas isso acontece porque elas influenciam conteúdos da consciência que são importantes para nós. Procurei mostrar em *A paisagem moral* que temos responsabilidades éticas para com outras criaturas precisamente no grau em que nossas ações podem afetar, para o bem ou para o mal, suas experiências conscientes.[58] Não temos obrigações éticas para com pedras (supondo que elas não são conscientes), mas as temos com toda criatura que possa sofrer ou ser privada da felicidade. Claro que pode ser errado destruir pedras se elas forem valiosas para outras criaturas conscientes. A destruição pelo Talibã dos Budas de Bamiyan, esculturas de 1500 anos, foi errada não da perspectiva das estátuas em si, mas da de todas as pessoas que tinham apreço por elas (e das pessoas que eventualmente poderiam ter).

Nunca encontrei uma noção coerente de bom ou mau, certo ou errado, desejável ou indesejável que não dependesse de alguma mudança na experiência de seres conscientes. Nem sempre é fácil especificar o que queremos dizer com "bom" ou "mau" — e essas definições podem permanecer sujeitas a revisão para sempre —, mas avaliações como essa parecem requerer, em todos os casos, que alguma diferença se manifeste no nível da experiência. Por que seria errado assassinar um bilhão de seres humanos? Porque o resultado seria uma enormidade de dor e sofrimento. Por que seria errado matar de modo indolor cada homem, mulher e criança enquanto dormem? Devido a todas as possibilidades de felicidade futura que seriam frustradas. Se você pensa que, em primeiro lugar, tais ações são erradas sobretudo porque acarretariam a ira de Deus ou a punição após a morte, você ainda assim se preocupa com perturbações da consciência — ainda que elas tenham boas chances de ser de todo imaginárias.

Considero axiomático, portanto, que nossas noções sobre significado, moralidade e valor pressupõem a realidade da consciência (ou sua perda) *em algum lugar*. Se alguém tem uma concepção sobre significado, moralidade e valor que seja desvinculada da experiência de seres conscientes, neste mundo ou em um mundo futuro, eu a desconheço. E provavelmente uma concepção de valor assim não poderia interessar a ninguém, por definição, porque sem dúvida estaria fora da experiência de todo ser consciente, no presente e no futuro.

O fato de que o universo está iluminado no lugar em que você está agora — de que seus pensamentos, humores e sensações têm um caráter qualitativo neste momento — é um mistério, superado apenas pelo mistério de que deve existir algo em vez de coisa nenhuma antes de tudo. Embora a ciência possa, em última análise, nos mostrar como maximizar de verdade o bem-estar humano, ela ainda pode ser incapaz de solucionar o mistério fundamental de nossa própria existência. Isso não deixa muita margem para crenças religiosas convencionais, mas oferece um alicerce profundo para uma vida contemplativa. Muitas verdades sobre nós mesmos serão descobertas na consciência diretamente, ou não serão descobertas de maneira alguma.

3. O enigma do self

Certa ocasião, eu passei uma tarde na costa noroeste do mar da Galileia, no alto do monte onde se acredita que Jesus tenha pregado seu sermão mais famoso. Fazia um calor infernal, e o santuário onde eu me sentei estava abarrotado de peregrinos cristãos de muitos continentes. Alguns se congregavam em silêncio na sombra, outros se arrastavam na soalheira, tirando fotos.

Enquanto olhava para os morros em volta, fui tomado por um sentimento de paz. Logo mergulhei numa quietude feliz que silenciou meus pensamentos. Num instante, a sensação de ser um self distinto — um "eu" ou um "mim" — desapareceu. Tudo estava como antes — o céu sem nuvens, os morros pardacentos que desciam ondulantes até um mar interior, os peregrinos com suas garrafas de água —, mas eu não me sentia mais separado da cena, espiando o mundo por trás dos meus olhos. Só o mundo permanecia.

A experiência durou uns poucos segundos, mas retornou muitas vezes enquanto eu contemplava a terra por onde se acredita que Jesus tenha andado, reunido apóstolos e feito muitos milagres. Se eu fosse cristão, sem dúvida teria interpretado a experiência com base no cristianismo. Poderia acreditar que vislumbrara a unidade de Deus ou que fora tocado pelo Espírito Santo. Se fosse hindu, eu poderia pensar no Brâman, o eterno Self, do qual o mundo e todas as mentes individuais são mera modificação. Se fosse budista, poderia falar no "dharmakaya do vazio", no qual todas as coisas aparentes se manifestam como num sonho.

Mas sou apenas alguém que está fazendo o seu melhor para existir como um ser humano racional. Em consequência, sou muito lento para extrair conclusões metafísicas de experiências como essa. No entanto, vislumbro o que chamarei de a *intrínseca ausência de self na consciência* todos os dias, seja em um lugar sagrado tradicional, seja em minha mesa de trabalho, seja escovando os dentes. Isso não acontece por acaso. Passei muitos anos praticando meditação, cujo propósito é cortar a ilusão do self.

Meu objetivo neste capítulo e no seguinte é convencê-lo de que o sentido de self convencional é uma ilusão e de que a espiritualidade consiste, em grande medida, em nos apercebermos disso a todo instante. Existem razões lógicas e científicas para se aceitar essa ideia, mas reconhecer que ela é verdadeira não é uma questão de compreender as razões. Como muitas ilusões, o sentido de self desaparece quando examinado com atenção, e isso é alcançado através da prática da meditação. Repito: estou sugerindo um experimento que você tem de fazer por si mesmo, no laboratório de sua mente, prestando atenção nas experiências de um modo novo.

A famosa parábola do Buda para desacreditar o mero intelectualismo parece que vem a calhar aqui:[1] um homem é atingido no peito por uma flecha venenosa. Um cirurgião subitamente começa o trabalho de lhe salvar a vida, mas o homem resiste aos procedimentos. Primeiro, quer saber o nome do fabricante da haste da flecha, o gênero da árvore que forneceu a madeira, a índole do homem que a lançou, o nome do cavalo que ele montava e mil outras coisas sem nenhuma relação com seu sofrimento presente ou sua eventual salvação. Esse homem precisa rever suas prioridades. Sua preocupação em *pensar sobre* o mundo resulta de um equívoco fundamental acerca de sua tribulação. Nós também, embora possamos ser apenas vagamente cônscios disso, temos um problema que não será resolvido com a aquisição de mais conhecimentos conceituais.

As coisas mudaram pouco desde o tempo de Buda. Muita gente diz que não tem o menor interesse pela vida espiritual. Até a maioria dos cientistas e filósofos menospreza o tema, porque ele sugere uma negligência dos padrões intelectuais: a felicidade suprema, ressaltam, não leva à observação isenta.[2] Entretanto, todos buscamos a realização enquanto vivemos à mercê de experiências mutáveis. O que quer que ganhemos na vida se dispersa. Nosso corpo envelhece. Nossos relacionamentos arrefecem. Até os prazeres mais intensos duram apenas alguns momentos. E toda manhã nossos pensamentos nos perseguem quando saímos da cama.

Neste capítulo citarei vários conceitos ainda pouco aproveitados em nosso estudo do mundo natural, ou mesmo do cérebro, mas que fazem um trabalho pesadíssimo ao longo de toda a nossa vida: conceitos como *self*, *ego* e *eu*. Reconheço que os termos não parecem científicos, mas não temos novas palavras para nomear, e em seguida estudar, uma das características mais impressionantes de nossa existência: a maioria de nós sente que sua experiência do mundo tem relação com um self — não com o nosso corpo, exatamente, mas com um centro de consciência que existe, não se sabe como, no interior do corpo, atrás dos olhos, dentro da cabeça. O sentimento que chamamos de "eu" parece definir nosso ponto de vista a cada instante e também fornece uma âncora para crenças populares sobre almas e livre-

-arbítrio. No entanto, por mais que esse sentimento possa parecer imperturbável no momento, ele pode ser alterado, interrompido ou abolido por completo. Essas transformações apresentam toda uma gama de variações, da psicose ordinária à epifania espiritual.

O que me faz ser a mesma pessoa que eu era cinco minutos atrás, ou ontem, ou aos dezoito anos de idade? É o fato de eu me lembrar de ter sido esses eus anteriores e de minhas memórias serem (um pouco) acuradas? Na verdade, esqueci a maior parte do que me aconteceu ao longo da vida, e meu corpo mudou gradualmente enquanto isso. É suficiente dizer que tenho uma continuidade física com meus selfs anteriores porque a maioria das células do meu corpo são as mesmas ou descendem das que compunham os corpos daqueles homens mais jovens?

Como vimos, o fenômeno do cérebro dividido põe em xeque a própria ideia de identidade pessoal. Mas as coisas podem ficar ainda piores. Em um hoje célebre experimento mental, o filósofo Derek Parfit nos pede que imaginemos uma máquina de teletransporte que possa levar uma pessoa para Marte. Em vez de viajar durante meses em uma espaçonave, você só precisa entrar em um cubículo perto de sua casa e apertar um botão verde: todas as informações de seu cérebro e de seu corpo serão enviadas a uma estação semelhante lá em Marte, onde você será remontado até o último átomo.

Imagine que vários amigos seus já viajaram dessa maneira àquele planeta e nenhum parece estar pior por isso. Eles descrevem a experiência como uma realocação instantânea: você aperta o botão verde e se vê em Marte — onde sua memória mais recente é a de estar apertando o botão verde na Terra e se perguntando se vai acontecer alguma coisa.

Você então decide fazer a viagem. Só que, no processo de providenciá-la, você fica sabendo de um fato perturbador sobre o mecanismo do teletransporte: os técnicos aguardam até que uma réplica da pessoa seja construída em Marte antes de destruir seu corpo original na Terra. O procedimento tem a vantagem de não dar chance para o azar: se algo sair errado no processo de replicação, nada de mal acontece. Mas isso traz a seguinte preocupação: enquanto seu duplo estiver começando o dia em Marte com todas as suas memórias, objetivos e preconceitos intactos, você estará na câmara de teletransporte na Terra, fitando o botão verde. Imagine uma voz que sai do interfone lhe dando os parabéns por ter chegado em segurança ao seu destino; em poucos instantes, lhe dizem, seu corpo lá na Terra será reduzido a átomos. Como isso seria diferente de ser simplesmente assassinado?

Para a maioria dos leitores, o experimento mental sugerirá que a continuidade *psicológica* — a simples manutenção de suas memórias, crenças, hábitos e outras características mentais — é uma base insuficiente para a identidade pessoal. Não basta que alguém em Marte seja igualzinho a você; ele tem de ser você *de verdade*. O homem em Marte terá todas as suas memórias e se comportará exatamente como você se comportaria. Mas ele não é *você* — como atesta a continuidade da sua existência em uma câmara de teletransporte na Terra. Para o "você" que aguarda a destruição na Terra, o teletransporte como um modo de viajar parecerá uma medonha falsidade: você nunca deixou a Terra e está prestes a morrer. Seus amigos, agora você se dá conta, foram repetidamente copiados e mortos. Entretanto, o problema do teletransporte não é de certa forma óbvio se o indivíduo for desmontado antes que sua réplica seja construída. Nesse caso, é tentador dizer que o teletransporte funciona e que "ele" está desembarcando de fato na superfície de Marte.

Poderíamos concluir que a identidade pessoal requer a continuidade *física*: sou idêntico ao meu cérebro e meu corpo, e, se eles forem destruídos, será o meu fim. Mas Parfit demonstra que a continuidade física só importa porque em geral ela sustenta a continuidade psicológica. Somente se apegar a seu cérebro e seu corpo não pode ser um fim em si. Considere, por exemplo, o caso desafortunado de uma pessoa com demência avançada: ela é fisicamente, mas não psicologicamente, contínua à pessoa que foi. Se fosse possível lhe dar novos neurônios que imitassem os neurônios antigos do cérebro sadio — restaurando suas memórias, a criatividade, o senso de humor —, seria muito melhor que manter os neurônios atuais, que estão sucumbindo a uma doença neurodegenerativa. Se admitíssemos que a substituição gradual de neurônios individuais seria compatível com a continuidade da consciência, parece claro que é a manutenção da continuidade psicológica o que nos importa. E é em geral o que queremos dizer com "sobrevivência" de uma pessoa de um momento ao instante seguinte.

Parfit distende tanto quanto possível o conceito de identidade pessoal e resolve o paradoxo aparente do teletransporte argumentando que a "identidade não é o que importa"; em vez disso, devemos nos preocupar apenas com a continuidade psicológica. No entanto, ele também afirma que a continuidade psicológica não pode assumir uma forma "ramificada" (ou pelo menos não por muito tempo), como acontece quando uma pessoa é copiada em Marte enquanto a original sobrevive na Terra. Parfit acredita que devemos ver o caso do teletransporte no qual uma pessoa é destruída antes de ser replicada como mais ou menos indistinguível do padrão normal de sobrevivência de uma pessoa ao longo da vida. Afinal, em que aspecto você é subjetivamente a mesma pessoa que pegou este livro pela primeira vez? No único sentido em que *pode* ser: exibindo algum grau de continuidade psicológica com o self passado. Raciocinando assim, é difícil ver como o teletransporte seria diferente da mera passagem do tempo. Como diz Parfit, "Quero que a pessoa em Marte seja eu de um modo especialmente íntimo no qual nenhuma pessoa futura jamais o será. [...] O que eu temo que seja perdido está *sempre* se perdendo. [...] *A sobrevivência ordinária é praticamente tão ruim quanto ser destruído e replicado*".[3] Parfit não utiliza aqui "ruim" no sentido de que acharíamos essas verdades deprimentes. Ele apenas argumenta que a sobrevivência ordinária de um momento para outro não é mais demonstrativa da identidade pessoal do que seria a destruição/replicação. A noção de self à qual Parfit parece ter chegado independentemente graças a um uso muito criativo de experimentos mentais, é, em essência, a mesma que encontramos nos ensinamentos do budismo: não existe um self estável que seja carregado de um momento ao instante seguinte.

Concordo com a maior parte do que Parfit tem a dizer sobre identidade pessoal. Entretanto, como sua posição é um produto de argumentação lógica pura, pode parecer estranhamente alheia à realidade de nossas vidas. Embora a experiência em meditação não possa resolver de imediato o paradoxo do teletransporte nem esclarecer por que deveríamos nos importar mais com nossa experiência futura do que com a de um estranho, ela pode facilitar a reflexão sobre esses problemas psicológicos.

Quando falamos em continuidade psicológica, estamos falando sobre a consciência e seus conteúdos, em especial a persistência das memórias autobiográficas. Tudo o que é pessoal, tudo o que diferencia minha consciência da consciência de outro ser humano, se relaciona aos *conteúdos* da consciência. Memórias, percepções, atitudes, desejos — são todas aparências na consciência. Se "minha" consciência de repente se enchesse dos conteúdos de "sua" vida — se eu acordasse hoje de manhã com as suas memórias, esperanças, medos, impressões sensoriais e relacionamentos — eu não seria mais eu. Eu seria o mesmo que seu clone no caso do teletransporte.

Minha consciência é "minha" apenas porque as particularidades da minha vida são iluminadas pelo modo como surgem e de onde elas surgem. Por exemplo, tenho andado com uma incômoda dor no pescoço, resultante de uma lesão decorrente da prática de artes marciais. Por que essa dor é "minha" dor? Por que eu sou a única pessoa que se apercebe diretamente dela? Questões como essa são um sintoma de confusão. Não existe um "eu" que se apercebe da dor. A dor apenas surge na consciência no único lugar em que ela *pode* surgir: na conjunção deste cérebro com este pescoço. Onde mais essa dor específica poderia ser sentida? Se eu fosse clonado em um teletransporte, uma dor idêntica poderia ser sentida em um pescoço idêntico em Marte. Mas *esta* dor ainda estaria bem aqui, *neste* pescoço.

Seja qual for a relação da consciência com o mundo físico, ela é o contexto no qual os objetos da experiência aparecem — a visão deste livro, o som do tráfego, a sensação de ter as costas contra a cadeira. Não há nenhum outro lugar em que eles possam *aparecer* — uma vez que seu próprio aparecimento é a consciência em ação. E qualquer coisa que seja única na experiência de mundo de um indivíduo tem de aparecer em meio aos conteúdos da consciência. Temos todas as razões para acreditar que esses conteúdos dependem da estrutura física do cérebro. Duplique seu cérebro e você duplicará "seus" conteúdos em outro campo de consciência. Divida seu cérebro e você segregará esses conteúdos de modo bizarro.

Sabemos, por experimentos reais e imaginados, que a continuidade psicológica é divisível — portanto, pode ser herdada por mais de uma mente. Se meu cérebro fosse dividido em uma cirurgia de calosotomia amanhã, criaria no mínimo duas mentes conscientes independentes, que seriam, ambas, psicologicamente contínuas à pessoa que escreve agora este parágrafo. Se minhas habilidades linguísticas fossem distribuídas ao acaso pelos dois hemisférios, cada uma dessas mentes poderia se lembrar de ter escrito esta sentença. Não faz sentido perguntar se *eu* iria parar no hemisfério esquerdo ou no direito, pois essa questão se baseia na ilusão de que existe um self que se movimenta na maré da consciência como um barco no mar.

No entanto, o fluxo da consciência pode se dividir e seguir os dois afluentes ao mesmo tempo. Se esses afluentes tornassem a convergir, a corrente final herdaria as "memórias" de cada um. Se, depois de anos vivendo separados, meus hemisférios fossem reunidos, suas memórias da existência distinta poderiam, em princípio, dar a impressão de serem a memória combinada de uma consciência única. Não haveria razão para indagar onde meu "self" esteve quando meu cérebro estava dividido, porque não existe um "eu" desvinculado do fluxo. No momento em que nos damos conta disso, a divisibilidade da mente humana começa a parecer menos paradoxal. Subjetivamente, a única coisa que de fato existe é a consciência e seus conteúdos. E a única coisa relevante para a questão da identidade pessoal é a continuidade psicológica de um momento ao instante seguinte.

O QUE CHAMAMOS DE "EU"?

Uma coisa que cada um de nós sabe com certeza é que a realidade excede em demasia a percepção que temos dela. Eu estou, por exemplo, sentado à mesa, tomando café. A gravidade me mantém no lugar, e o modo como isso acontece nos escapa ainda hoje. A integridade da minha cadeira é resultado de ligações elétricas entre átomos — entidades que nunca vi, mas sei que têm de existir, em certo sentido, com ou sem meu conhecimento. O café dissipa o calor a uma taxa que poderia ser calculada com precisão, e a segunda lei da termodinâmica determina que, afinal de contas, o café perde calor a cada instante, em vez de ganhá-lo do copo ou do ar que o circunda. Mas nada disso é evidente para mim por meio de experiência direta. Forças da digestão e do metabolismo atuam em mim muito além de minha percepção ou controle. Se eu fosse me basear pelo que conheço delas de modo direto, a maioria dos meus órgãos internos poderia não existir, e, no entanto, posso estar razoavelmente certo de que os possuo e de que eles estão dispostos conforme indicado em qualquer livro didático de medicina. O gosto do café, minha satisfação com o sabor, a sensação da xícara quente na minha mão — embora sejam fenômenos imediatos com os quais estou habituado, se originam de uma multiplicidade de fatos obscuros que nunca virei a conhecer. Tenho neurônios que disparam e fazem novas conexões em meu cérebro a cada instante, e esses acontecimentos determinam o caráter da minha experiência. Mas não sei coisa alguma, diretamente, sobre a atividade eletroquímica do meu cérebro — e, contudo, o milagre sem vida da computação parece funcionar nesse momento e gerar uma visão de mundo.

Quanto mais persisto nessa linha de raciocínio, mais claro se torna que mal percebo uma centelha de tudo o que há para ser conhecido. Posso, por exemplo, pegar a xícara de café ou pô-la na mesa, aparentemente como eu bem entender. Trata-se de ações intencionais, e *eu* as executo. Mas se eu for procurar o que permite esses movimentos — neurônios motores, fibras musculares, neurotransmissores —, não poderei sentir nem ver nada. E *como* eu inicio esse comportamento? Não faço ideia. Em que sentido, então, *eu* o inicio? É difícil dizer. A sensação de que tencionei fazer o que acabei de fazer parece ser apenas isso: uma *sensação* de alguma indicação interna, talvez resultante do fato de que meu cérebro formou um modelo preditivo das ações que decorrem dela. Talvez "sensação" não seja o melhor termo, mas sem dúvida é *alguma coisa*. Do contrário, como eu poderia notar a diferença entre comportamento voluntário e involuntário? Sem essa impressão de que tenho a capacidade de agir, eu sentiria que minhas ações são automáticas ou, por outro lado, que estão fora do meu controle.

Uma questão se coloca de imediato: onde eu estou, se tenho essa péssima visão das coisas? E que tipo de coisa eu sou, com um exterior *e* um interior tão obscuros? E exterior e interior a *quê*? À minha *pele*? Serei idêntico à minha pele? Se não — e a resposta é claramente não —, por que a fronteira entre o meu exterior e o meu interior deveria ser demarcada pela minha pele? Se não é na pele, então onde termina o que está fora de mim e começa o que está dentro de mim? No crânio? Serei eu o meu crânio? Estou *dentro* do meu crânio? Digamos, por ora, que sim, porque os lugares onde procurar por mim estão se acabando depressa. Em que lugar do meu crânio eu poderia estar? E se eu estou aqui em cima na minha cabeça, como é que o resto de mim sou *eu* (sem falar no meu *interior*)?

O pronome *eu* é o termo que a maioria de nós usa para se referir à noção de que somos quem pensa nossos pensamentos e quem vivencia nossas experiências. É a sensação que temos de possuir (em vez de simplesmente ser) um continuum de experiência. Veremos, porém, que essa sensação não é uma propriedade necessária da mente. E o fato de que algumas pessoas declaram perder o sentido de self em certo grau sugere que é possível se interferir de modo seletivo na experiência de ser um self.

Existe, é claro, em nossa experiência, algo que estamos chamando de "eu" à parte do simples fato de que estamos conscientes; do contrário, nunca descreveríamos nossa subjetividade do modo como o fazemos, e uma pessoa não teria base para sentir que *perdeu* seu sentido de self, independentemente das circunstâncias. Ainda assim, é dificílimo especificar exatamente o que pensamos que somos. Muitos filósofos notaram esse problema, mas poucos no Ocidente compreenderam que o fracasso em localizar o self pode acarretar mais que uma simples confusão.[4] Desconfio que essa diferença entre filosofia oriental e ocidental tenha alguma relação com a influência da religião abraâmica e sua doutrina da alma. O cristianismo, em especial, impõe obstáculos colossais ao raciocínio inteligente sobre a natureza da mente humana, porque postula a existência de almas individuais sujeitas ao julgamento eterno de Deus.

O que significa dizer que o self não pode ser encontrado ou que ele é ilusório? Não quer dizer que as *pessoas* são ilusórias. Não vejo razão para duvidar de que cada um de nós existe ou de que a história contínua de nossa pessoa pode ser convencionalmente descrita como a história de nossos "eus". Mas o self, no sentido biográfico, mais global, passa por mudanças drásticas ao longo da vida. Embora você seja, em muitos aspectos, física e psicologicamente contínuo à pessoa que foi aos sete anos, você não é o mesmo. Sua vida sem dúvida foi marcada por transições que o transformaram de modo significativo: casamento, divórcio, universidade, serviço militar, paternidade, luto, doença grave, fama, contato com outras culturas, prisão, sucesso profissional, perda de emprego, conversão religiosa. Cada um de nós sabe como é adquirir novas capacidades, compreensões, opiniões e gostos no decorrer da vida. É conveniente atribuir essas mudanças ao self. Mas não é desse self que estou falando.

O self que não sobrevive ao exame minucioso é o *sujeito* da experiência em cada momento presente — a sensação de ser um pensador de pensamentos *no interior* de nossa cabeça, a sensação de ser dono ou habitante de um corpo físico, do qual esse falso self parece se apropriar como uma espécie de veículo. Mesmo que você não acredite na existência desse homúnculo — talvez porque acredite, com base na ciência, que você é idêntico ao seu corpo e cérebro e não um residente fantasmagórico de seu interior —, é quase certo que você se *sente* como um self interno em quase todos os momentos em que está acordado. E, no entanto, se for procurado, esse self não será encontrado em lugar nenhum. Ele não pode ser visto em meio às circunstâncias da experiência, nem pode ser visto quando a própria experiência é considerada como uma totalidade. Contudo, sua *ausência* pode ser encontrada — e, nesses casos, o sentimento de ser um self desaparece.

CONSCIÊNCIA SEM SELF

Eis uma afirmação empírica: se você examinar com atenção sua mente neste momento, descobrirá que o self é uma ilusão. Mas o problema em uma afirmação do tipo é que, para testá-la, não é possível pedir emprestadas as ferramentas contemplativas de outra pessoa. Para perceber como o sentimento do "eu" é um produto do pensamento — de fato, até para avaliar o quanto você tende a ser desencaminhado pelo pensamento —, você precisa construir suas próprias ferramentas contemplativas. Infelizmente, isso leva muitos a descartarem o projeto logo de saída: olham para dentro, não notam nada que lhes interesse e concluem que a introspecção é um beco sem saída. Mas imagine onde estaria a astronomia se, séculos depois de Galileu, uma pessoa ainda fosse obrigada a construir o próprio telescópio antes de poder até mesmo julgar se a astronomia é ou não um campo de estudo legítimo. Isso não tornaria o céu menos merecedor de investigação, mas o desenvolvimento da astronomia como ciência se tornaria muito mais difícil.

Há alguns atalhos farmacológicos, dos quais tratarei em outro capítulo, mas, de modo geral, devemos construir nosso próprio telescópio para avaliar as afirmações empíricas dos contemplativos. Julgar suas afirmações metafísicas é outra questão; nós podemos descartar muitas delas como má ciência ou má filosofia depois de uma simples reflexão. Para determinar se certas experiências são possíveis — e, se possíveis, desejáveis — e verificar como esses estados da mente se relacionam ao sentimento do self convencional, temos de ser capazes de usar nossa atenção da maneira necessária. Isso significa, antes de mais nada, aprender a reconhecer os pensamentos como *pensamentos* — aparições transitórias na consciência — e, mesmo que por períodos breves, não ser mais distraído por eles. Isso pode parecer simples, mas consegui-lo pode ser muito trabalhoso. Infelizmente, não é um tipo de trabalho que a tradição intelectual do Ocidente conheça bem.

PERDIDO EM PENSAMENTOS

Quando vemos alguém na rua falando sozinho, em geral supomos que ele é um doente mental (a não ser que esteja usando algum tipo de fone de ouvido). Acontece que cada um de nós fala *constantemente* consigo mesmo — a maioria de nós tem apenas o bom senso de manter a boca fechada. Ensaiamos conversas passadas, pensando no que dissemos, no que não dissemos, no que deveríamos ter dito. Antevemos o futuro, produzindo um encadeamento incessante de palavras e imagens que nos enchem de esperança ou de medo. Contamos a nós mesmos a história do presente, como se algum cego dentro de nossa cabeça necessitasse de uma narração contínua para saber o que se passa. "Puxa, que escrivaninha linda. De que madeira será feita? Ah, mas não tem gavetas. Como é que eles não puseram gavetas? Quem vai querer uma escrivaninha sem ao menos uma gaveta?" Com quem estamos falando? Não há mais ninguém. E parecemos imaginar que, se mantivermos esse monólogo escondido dos outros, ele é perfeitamente compatível com a sanidade mental. Pois talvez não o seja.

Quando eu trabalhava para concluir este livro, tive uma série de vazamentos hidráulicos em casa. O primeiro apareceu no teto da despensa. Achei que foi muita sorte tê-lo descoberto, pois era um cômodo no qual podia passar meses sem entrar. Um encanador chegou dali a poucas horas, cortou o *drywall* e consertou o vazamento. Um gesseiro veio no dia seguinte, consertou e pintou o teto. Esse tipo de coisa acontece de vez em quando em toda casa, pensei comigo, e o sentimento que prevaleceu em mim foi de gratidão. A civilização é uma coisa maravilhosa.

Mas, alguns dias depois, apareceu um vazamento semelhante em um cômodo adjacente. Os dados de contato do encanador e do gesseiro estavam bem ao meu alcance. Eu fiquei apenas irritado e com um mau pressentimento.

Um mês depois, o filme de horror começou de verdade: um cano estourou, inundando um metro quadrado de teto. Dessa vez, os reparos demoraram semanas e produziram uma poeira colossal; foi preciso chamar duas turmas de limpeza para remover a sujeira depois: aspirar centenas de livros, lavar e secar o carpete etc. Durante todo esse tempo, tive de viver sem aquecimento, do contrário a poeira dos reparos seria sugada para os respiradouros e eu a inalaria em todos os cômodos da casa. Por fim, o problema foi resolvido. Não haveria mais vazamentos.

Mais eis que, na noite passada, mal decorrido um mês do conserto final, ouvi o som familiar de água gotejando no carpete. No momento em que escutei os primeiros pingos, me transformei em um homem infeliz, perplexo e furioso, descendo a escada feito um bólido. Aposto que teria me comportado com muito mais dignidade se tivesse chegado à cena de um assassinato. Um olhar para o teto abaulado me disse tudo o que eu precisava saber sobre as semanas seguintes: nossa casa voltaria a ser um canteiro de obras.

Obviamente, uma casa é um objeto físico sujeito às leis da natureza. E não se conserta sozinha. A partir do momento em que minha mulher e eu pegamos baldes e vasilhas para coletar a água que caía, respondíamos ao inelutável puxão da realidade física. Mas o meu sofrimento era todo produto dos meus pensamentos. Fossem quais fossem as necessidades do momento, eu tinha uma escolha: podia fazer o que era preciso com calma, paciência e atenção ou fazer tudo em pânico. Cada momento do dia — aliás, cada momento ao longo de toda a nossa vida — nos oferece a oportunidade de sermos tranquilos e tomarmos providências ou de sofrermos sem necessidade.

Podemos lidar com esse tipo de sofrimento mental em pelo menos dois níveis. Podemos usar os próprios pensamentos como um antídoto ou ficarmos totalmente livres de pensamento. A primeira técnica não requer experiência em meditação e pode ser prodigiosa para quem desenvolveu os hábitos mentais apropriados. Muita gente faz isso com naturalidade; chama-se "ver pelo lado bom".

Por exemplo, quando eu já estava começando a vociferar como o rei Lear na tempestade, minha mulher comentou que deveríamos dar graças, porque o que caía do teto era água limpa e não dejetos de esgoto. Achei a ideia sensacional. Pude sentir fisicamente como era muito melhor enxugar água naquele momento do que chafurdar na alternativa. Que alívio! Costumo usar pensamentos desse tipo como alavancas para arrancar minha mente de qualquer sulco que ela encontre na paisagem do sofrimento desnecessário. Se eu estivesse vendo sujeira de esgoto caindo pelo teto de nossa casa, quanto pagaria apenas para transformar aquilo em água limpa? Muito.

Não proponho uma alienação racional da realidade da vida. Se um problema precisa ser resolvido, devemos resolvê-lo. Mas quanto temos de nos sentir infelizes enquanto fazemos coisas boas e necessárias? E se, como muitas pessoas, você tende a se sentir um pouco infeliz em boa parte do tempo, pode ser bem útil fabricar um sentimento de gratidão somente ao refletir sobre todas as coisas terríveis que *não* aconteceram com você, ou ao pensar em quantas pessoas diriam que suas preces foram atendidas se pudessem viver como você vive agora. O simples fato de que você tem tempo livre para ler este livro já o situa em uma companhia muito seleta. Muitas pessoas no planeta não podem, neste momento, nem sequer *imaginar* a liberdade de que você desfruta agora com a maior naturalidade.

Na verdade, há estudos sobre os efeitos da prática consciente da gratidão: ao se comparar o simples pensamento em relação a acontecimentos significativos da vida, a contemplação de incômodos cotidianos ou a comparação favorável que fazemos entre nós e os outros, pensar no que nos traz gratidão aumenta a sensação de bem-estar, motivação e visão positiva do futuro.[5]

Não é preciso saber nada sobre meditação para se notar que o pensamento governa nosso estado mental. Hoje de manhã, por exemplo, acordei em um estado de despreocupação e felicidade. Até que me lembrei do vazamento... A maioria dos leitores decerto já teve experiência parecida: algo ruim acontece na vida — morreu alguém, um relacionamento terminou, você perdeu o emprego —, mas existe um breve intervalo, ao despertarmos, antes que a memória nos imponha seu jugo. Com frequência, as razões para nos sentirmos infelizes demoram alguns momentos para se apresentarem. Como passei anos observando minha mente em meditação, acho fascinantes e muito engraçadas as súbitas transições da felicidade para o sofrimento — e só o fato de observá-las já me ajuda muito a restaurar a calma. Minha mente começa a parecer um video game: posso jogar de modo inteligente, aprendendo mais em cada fase, ou ser morto no mesmo lugar e pelo mesmo monstro incontáveis vezes.

Certa ocasião, estava hospedado em um hotel especialmente desanimador em Katmandu e acordei no meio da noite sentindo que uma garra arranhava meu pé. Sentei-me aterrorizado, certo de que havia um rato na cama. Pouco tempo antes, tinham me contado que os leprosos que eu vira em minhas viagens pela Ásia perdiam os dedos dos pés e das mãos não para a doença, mas porque não sentiam mais dor. Isso resultava em queimaduras e outras lesões. E o pior: muitas vezes, ratos comiam suas extremidades enquanto eles dormiam.

Mas a escuridão do meu quarto estava em uma quietude perfeita. Fora só um sonho. E com a mesma rapidez com que viera, a sensação de terror se dissipou. Um alívio inundou minha mente e meu corpo. "Que sonho estranho", pensei. "*Senti* de verdade garras na minha pele, mas não havia nada. A mente é espantosa..." E então ouvi o som inconfundível de alguma coisa correndo em minha direção sob os lençóis.

Pulei da cama com a agilidade de um acrobata chinês. Após alguns momentos intermináveis tateando na escuridão daquele quarto pouco familiar, acendi as luzes, e o silêncio voltou. Fitando o amontoado de cobertores da cama, eu torcia de verdade para ter perdido a sanidade, e não a privacidade. Puxei as cobertas — e lá estava, no meio do colchão, uma ratazana marrom. A criatura me olhava com franqueza e intensidade nauseantes; parecia estar *defendendo sua posição*, sem dúvida lamentando a perda de uma fonte tão ampla de proteína. Fingi que a atacava: urrei, me esganicei — metade gorila, metade dona de casa de desenho animado —, e o bicho atravessou correndo os lençóis, pulou no chão e desapareceu atrás da cômoda.[6]

Em alguns segundos, minha mente percorrera os extremos da emoção humana, oscilara do terror ao alívio delicioso e de novo ao terror — totalmente ao sabor do pensamento:

Tem um rato na minha cama!
Ah, era só um sonho...
Rato!

Mais uma vez, não digo que nossos pensamentos sobre a realidade sejam tudo o que importa. Eu seria o primeiro a admitir que, em geral, é uma boa ideia manter os ratos fora da cama. Mas pode ser libertador perceber como os pensamentos acionam as alavancas da emoção — e como emoções negativas, por sua vez, montam o cenário para padrões de pensamento que as mantêm ativas, colorindo nossa mente. Ver esse processo com clareza pode significar a diferença entre ficar zangado, deprimido ou temeroso por alguns momentos ou durante dias, semanas e meses.

Desfazendo o encantamento das emoções negativas

A maioria de nós deixa que emoções negativas persistam além do tempo necessário. Subitamente nos enraivecemos e tendemos a nos manter raivosos, o que requer uma produção ativa do sentimento de raiva. Fazemos isso pensando em nossas razões para sentir raiva — lembrando um insulto, revendo o que deveríamos ter dito ao malfeitor e assim por diante —, mas, em geral, não notamos a mecânica desse processo. Sem ressuscitar continuamente o sentimento de raiva, é impossível nos mantermos zangados por mais que alguns momentos.

Embora eu não possa prometer que a meditação livrará você para sempre da fúria, você pode aprender a não se manter irado por muito tempo. E, em se tratando das consequências da raiva, é impossível exagerar a diferença entre momentos e horas, ou mesmo dias.

Mesmo sem saber meditar, a maioria das pessoas já teve, alguma vez, seus estados mentais negativos interrompidos subitamente. Imagine, por exemplo, que alguém deixou você muito bravo, e justo quando esse estado mental parecia ter se apossado por completo de sua mente você recebe um telefonema importante que requer a maior cordialidade social. Muitos de nós sabem como é deixar de repente o estado mental negativo e começar a funcionar de outro modo. É claro que a maioria não consegue evitar e, na próxima oportunidade, volta a se enredar em emoções negativas.

Torne-se sensível a essas interrupções na continuidade de seus estados mentais. Você está deprimido, digamos, mas de repente lê alguma coisa que lhe arranca uma gargalhada. Você está entediado e impaciente, preso no trânsito, mas de repente se alegra com um telefonema de um grande amigo. Esses são experimentos naturais de mudança de humor. Repare que prestar atenção de repente em alguma outra coisa — algo que não sustente mais sua emoção presente — abre caminho para um novo estado mental. Observe como as nuvens podem se dissipar depressa. Esses são vislumbres genuínos da liberdade.

A verdade, porém, é que você não precisa esperar até que alguma distração agradável apareça para alterar seu humor. Você pode apenas prestar muita atenção nos próprios sentimentos negativos, sem julgamento nem resistência. O que é a raiva? Em que lugar do corpo você a sente? Como ela surge a cada momento? E o que se apercebe do sentimento propriamente dito? Ao investigá-los dessa maneira, com atenção plena, você poderá descobrir que os estados mentais negativos desaparecem por si mesmos.

Pensar, para nós, é indispensável. É essencial para a formação de crenças, para o planejamento, para o aprendizado explícito, para o raciocínio moral e para muitas outras capacidades que nos fazem humanos. Pensar é a base de todo relacionamento social e de toda instituição cultural que temos. Também é o alicerce da ciência. Mas nossa identificação habitual com o pensamento — ou seja, a falha em reconhecer os pensamentos como *pensamentos*, como aparições na consciência — é uma fonte primária de sofrimento humano. E também nos dá a ilusão de que um self separado vive em nossa cabeça.

Veja se você consegue parar de pensar nos próximos sessenta segundos. Você pode prestar atenção à respiração, ou ouvir os pássaros, mas não deixe sua atenção ser arrebatada por pensamentos, *quaisquer pensamentos*, nem por um instante. Largue este livro e tente.

Alguns dos leitores serão tão distraídos por pensamentos a ponto de pensar que conseguiram. De fato, é frequente que meditadores iniciantes pensem que conseguem se concentrar em um único objeto, como a respiração, por minutos seguidos, mas, depois de alguns dias ou semanas de prática intensiva, afirmam que sua atenção passou a ser roubada por pensamentos em intervalos de poucos segundos. Na verdade, isso é um progresso. É preciso certo grau de concentração até para notar o quanto você se distrai. Mesmo se sua vida dependesse disso, você não seria capaz de passar um minuto inteiro livre de pensamentos.

Eis um fato notável da mente humana. Somos capazes de façanhas espantosas de entendimento e criatividade. Podemos suportar quase qualquer tormento. Mas não temos a capacidade de apenas parar de falar conosco mesmos, esteja em jogo o que estiver. Nem sequer está em nosso poder reconhecer cada pensamento à medida que ele surge na consciência sem que um deles nos distraia em poucos segundos. Sem um treinamento significativo em meditação, permanecer atento — a *qualquer coisa* — por um minuto inteiro não é uma opção.

Passamos a vida perdidos em pensamentos. A questão é: que importância devemos dar a isso? No Ocidente, a resposta tem sido "não muita". No Oriente, em especial em tradições contemplativas como o budismo, a distração por pensamentos é tida como a própria fonte do sofrimento humano.

Do ponto de vista contemplativo, se perder em pensamentos de qualquer tipo, agradáveis ou não, é análogo a dormir e sonhar. É um modo de não saber o que acontece de fato no presente. É, em essência, uma forma de psicose. Os pensamentos, em si, não são um problema; identificar-se com eles é que o é. Achar que somos quem pensa os nossos pensamentos — isto é, não reconhecer que o pensamento presente é uma aparição transitória na consciência — é uma ilusão que produz quase todo tipo de conflito e infelicidade humana. Não importa se sua mente vagueia por problemas correntes sobre a teoria dos conjuntos ou pelas pesquisas sobre o câncer; se você pensa sem se dar conta disso, está confuso em relação a quem e ao que você é.

A prática da meditação é um método de desfazer o encantamento do pensar. No começo, porém, é provável que você não compreenda o quanto essa mudança na atenção pode ser transformadora. Você passará a maior parte do tempo *tentando* meditar ou imaginando que *está* meditando (se concentrando na respiração ou em alguma outra coisa) e fracassando por minutos ou horas a fio. O primeiro sinal de progresso será notar o quanto você está distraído. Mas, se persistir na prática, você sentirá por fim o gosto da verdadeira concentração e começará a ver os pensamentos como meras aparições em um campo maior de consciência.

No século VIII, Vimalamitra, um adepto do budismo, descreveu três estágios de domínio da meditação e indicou como o pensamento aparecia em cada um deles. O primeiro é como encontrar uma pessoa que você já conhece; você apenas reconhece cada pensamento à medida que ele surge na consciência, sem confusão. O segundo é como uma serpente com um nó no corpo; cada pensamento, seja qual for seu conteúdo, simplesmente se desata sozinho. No terceiro, os pensamentos passam a ser como ladrões que invadem uma casa vazia; até a possibilidade de se distrair desapareceu.[7]

Muito antes de atingir esse tipo de estabilidade na meditação, porém, podemos descobrir que o sentido de self — o sentimento de que existe um pensador por trás dos nossos pensamentos, um experimentador em meio ao fluxo de experiências — é uma ilusão. O sentimento que chamamos de "eu" é, ele próprio, produto do pensamento. Possuir um *ego* é como nos sentimos quando pensamos sem saber que estamos pensando.

Considere o seguinte fluxo de pensamentos (talvez uma versão dele já tenha passado por sua mente):

> Do que Sam Harris está falando? Sei que estou pensando. Estou pensando neste exato momento. Que mistério pode haver nisso? Estou pensando e sei disso. Por que isso seria um problema? Como assim, estou confuso? Posso pensar no que eu quiser: veja só, vou visualizar a torre Eiffel na minha mente agora. Pronto, lá está ela. Consegui. Em que sentido não sou eu quem pensa esses pensamentos?

Esse é o nó do self. Não basta saber, abstratamente, que pensamentos surgem sem parar ou que estamos pensando neste momento, pois esse conhecimento é, ele próprio, mediado por pensamentos que surgem sem ser reconhecidos. É a identificação com esses pensamentos — isto é, não os reconhecer como aparições espontâneas na consciência — que produz o sentimento do "eu". Precisamos ser capazes de prestar atenção o suficiente para vislumbrar o que é a consciência *entre* um pensamento e outro, ou seja, antes que surja o próximo pensamento. *A consciência não se parece com um self.* Assim que o percebemos, podemos compreender a condição dos próprios pensamentos como expressões transitórias da consciência.

Somos conscientes de quê? Somos conscientes do mundo; somos conscientes de nosso corpo no mundo; e também imaginamos que somos conscientes de nosso self no interior do nosso corpo. Afinal de contas, a maioria de nós não sente que é simplesmente idêntica ao seu corpo. Temos a impressão de estarmos *lá dentro.* Sentimo-nos como sujeitos interiores que podem usar o corpo como uma espécie de objeto. Essa última impressão é uma ilusão que pode ser desfeita.

A ausência de self na consciência está bem à vista em cada momento presente. No entanto, permanece difícil de se ver. Não se trata de um paradoxo. Muitas coisas em nossa experiência estão logo na superfície, mas requerem treinamento ou técnica para serem observadas. Por exemplo, o ponto cego óptico: o nervo óptico passa através da retina de cada olho, criando uma pequena região em cada campo visual onde somos efetivamente cegos. Muitos de nós, quando crianças, aprendemos a perceber as consequências subjetivas dessa anatomia não ideal desenhando um pequeno círculo em um papel, fechando um olho e movendo o papel até uma posição na qual o círculo se torna invisível. Sem dúvida, grande parte das pessoas na história humana desconhece de todo que tem um ponto cego óptico. Mesmo aqueles entre nós que sabem dele passam décadas sem notá-lo. No entanto, ele está bem ali, logo na superfície da experiência.

A ausência de self também pode ser notada. Como no caso do ponto cego, a evidência não está distante nem nas profundezas; na verdade, está quase perto demais para ser observada. Para a maioria das pessoas, vivenciar a ausência intrínseca de self na consciência requer um treinamento considerável. No entanto, é possível notar que a consciência — aquilo em você que se apercebe de sua experiência neste momento — não se parece com um self. O que você está chamando de "eu" é um sentimento que surge em meio aos conteúdos da consciência. A consciência é anterior a esse sentimento, uma mera testemunha dele e, portanto, em princípio, livre dele.

O DESAFIO DE SE ESTUDAR O SELF

Muitos cientistas usam o termo "self" para designar a totalidade de nossa vida interior. Assisti a conferências que versavam apenas sobre o tema do self e li livros ostensivamente dedicados a esse assunto sem jamais ouvir uma menção ao sentimento que chamamos de "eu". O self de que falo neste livro — a fonte ilusória, porém confiável, de tanto sofrimento e confusão — é o sentimento de que existe um sujeito interno, por trás dos nossos olhos, que pensa nossos pensamentos e vivencia nossas experiências.

Precisamos distinguir entre o self e os inúmeros estados mentais — autorreconhecimento, volição, memória, percepção do corpo — aos quais ele pode ser associado. Para avaliar a diferença, considere a condição (semifictícia) de uma pessoa que sofre de amnésia retrógrada global (às vezes chamada de amnésia "de novela", na qual a pessoa se esquece totalmente de seu passado): se lhe perguntarem como ficou assim, o indivíduo diz "eu não me lembro de nada". É um exagero, pois ele sem dúvida se lembra de algumas coisas (sua língua materna, por exemplo), do contrário não diria essa frase. Mas não há razão para supor que ele esteja fazendo mau uso do pronome pessoal "eu". Seu "eu" parece ter sobrevivido tanto quanto o corpo à perda de suas memórias declarativas. Se lhe perguntarmos "Onde está seu corpo?", ele pode responder "Está aqui. É este". Se continuarmos a indagar "E onde você está? Onde está o seu eu?", é provável que ele diga algo nesta linha: "Como assim? Eu também estou aqui. Só não sei quem sou". Por mais estranha que se afigure essa conversa, parece não haver dúvida de que nosso protagonista se sente um self tanto quanto nós. Apenas as memórias dele se perderam. Ele, como sujeito de sua experiência, permaneceu para se preocupar com a ausência delas.

Claro, como *pessoa*, esse homem não é mais ele mesmo. Não se recorda dos nomes e rostos de seus amigos mais chegados. Talvez não saiba qual é sua comida favorita. Seus temores privados e objetivos profissionais desapareceram sem deixar vestígio. Podemos dizer que ele quase não é uma pessoa — mas, ainda assim, é um self, que sofre de uma desnorteante dissociação entre passado e futuro.

Ou considere a condição de uma pessoa que está tendo uma "experiência extracorpórea" (EE). A sensação de deixar o próprio corpo é artigo básico da literatura mística e já foi relatada em muitas culturas. Muitas vezes é associada à epilepsia, à enxaqueca, à paralisia do sono e, como veremos no capítulo 5, à "experiência de quase morte". Pode ocorrer com até 10% da população. Durante uma EE, o indivíduo sente que deixou fisicamente seu corpo, fato que inclui com frequência a sensação de que ele pode ver seu corpo inteiro a partir de um ponto fora da cabeça. Uma área do cérebro chamada *junção temporal parietal*, região conhecida pelo envolvimento na integração sensorial e na representação do corpo — parece ser responsável por esse efeito. Não importa se a consciência de uma pessoa pode de fato ser deslocada; o importante é que ela pode *parecer* que o é, e esse fato traça mais uma fronteira entre o self e o resto de nossa pessoa. É possível ter a sensação de que estamos (aparentemente) fora de um corpo.

O self, como o eixo implícito da cognição, da percepção, da emoção e do comportamento, pode permanecer estável até mesmo durante mudanças globais nos conteúdos da consciência (exceto quando o sentimento do self desaparece). Isso não é de surpreender, pois o self é bem aquilo a que esses conteúdos parecem se referir: não o corpo ou a mente em si, mas o ponto de vista a partir do qual o corpo e a mente parecem ser "meus" em cada instante presente.

Portanto, podemos ver que a maioria dos estudos científicos sobre o self é abrangente demais. Se o self é a sensação de ser o sujeito da experiência, ele não deveria ser fundido a uma gama maior de experiências. O "eu" se refere ao sentimento de que nossas faculdades foram "apropriadas", de que um centro de vontade e cognição interior ao corpo, em algum ponto atrás da face, é responsável por ver, ouvir e pensar. Quando buscam entender o self, contudo, muitos cientistas estudam coisas como a cognição espacial, a ação voluntária, a sensação de posse do corpo e a memória episódica. Embora esses fenômenos influenciem muito nossa experiência momentânea, eles não são indispensáveis ao sentimento que chamamos de "eu".

Considere a sensação de posse do corpo. Ela tem de ser produzida, ao menos em parte, pela integração de diferentes fluxos de informações sensoriais: sentimos a posição de nossos membros no espaço, vemos os membros nos locais apropriados em nosso campo visual, e nossa experiência de tocar nos objetos coincide, em geral, com a visão deles em contato com nossa pele. Sincronia análoga ocorre toda vez que executamos um movimento volitivo. Sem dúvida nosso senso de posse do corpo é essencial para sobrevivermos e nos relacionarmos com os outros. Qualquer perda ou distorção desse sentido pode ser profundamente desorientadora. Mas desorientadora para quem? Quando estou deitado na mesa de cirurgia, percebendo os primeiros efeitos da sedação endovenosa, e descubro que não posso mais sentir a posição de meus membros no espaço, ou mesmo a existência do meu corpo, quem é que foi privado dessas informações? Sou *eu* — o (quase) onipresente sujeito da minha experiência. Deveria ser óbvio que nenhuma faculdade da qual eu poderia ser privado, enquanto permanecesse o sujeito que vivencia os resultados da privação, poderia ser indispensável ao self — embora possa ser indispensável à minha condição de pessoa em um sentido mais abrangente.

Várias descobertas na literatura neurocientífica opõem a sensação de posse do corpo e o sentimento de ser um self. Por exemplo, o portador de uma disfunção denominada somatoparafrenia perde a sensação de possuir um membro. De modo inverso, a imagem corporal pode abranger os membros de outras pessoas ou até objetos inanimados. Vejamos o exemplo da famosa "ilusão da mão de borracha":

> Dez sujeitos se sentaram com o braço esquerdo apoiado em uma mesinha. Um anteparo foi posto ao lado do braço para que ficasse escondido da visão do sujeito, e um modelo de borracha em tamanho natural de uma mão e um braço esquerdo foi posicionado sobre a mesa diretamente em frente ao sujeito. Ele se sentou com os olhos fixos na mão artificial enquanto roçávamos com dois pincéis pequenos a mão de borracha e a mão escondida do sujeito, sincronizando da melhor forma possível os toques dos pincéis. [...] Os sujeitos tiveram a ilusão de sentir o toque não do pincel oculto, mas do pincel visto, como se a mão de borracha houvesse sentido o toque.[8]

E um fato impressionante é que, se um pequeno monitor de vídeo for acoplado à cabeça do sujeito, essa ilusão pode se estender ao corpo inteiro e produzir uma experiência de "troca de corpo".[9] Sabe-se há tempos que a visão predomina sobre a *propriocepção* (a capacidade de sentir a posição do corpo) na tarefa de localizar partes do corpo no espaço, mas a ilusão da "troca de corpo" sugere que a percepção visual possa determinar por completo as coordenadas do self.

O importante aqui, no entanto, é que esse efeito — a dissociação do corpo e uma falsa sensação de habitar as partes de outra pessoa (ou o corpo todo) — parece deixar o "self" bem intacto. Experimentos sobre propriocepção não nos dizem nada sobre o sentimento que chamamos de "eu". E o mesmo se pode dizer sobre quase todos os outros aspectos da individualidade com os quais filósofos, psicólogos e neurocientistas regularmente embrulham o self. O sentimento de operação — ou seja, a sensação de que somos os autores de nossas ações voluntárias — pode ser tão essencial à nossa experiência de mundo quanto a sensação de posse do corpo, mas ele também não capta o que queremos dizer com "self". Uma pessoa pode distinguir seus movimentos corporais dos movimentos de outra pessoa sem ter o sentimento de self, por exemplo, porque isso requer apenas que distinga um corpo (como um objeto) de outro. De modo análogo, esse indivíduo pode não conseguir fazer a distinção (atribuindo erroneamente suas ações a outra pessoa ou as ações de outra a si mesmo) mesmo tendo o sentido de self.

As atribuições de operação não definem os contornos do self do modo como muitas pessoas parecem supor. Embora os esquizofrênicos que sofrem de inserção de pensamentos, delírio de controle e alucinações auditivas[10] possam ser acometidos por fenômenos mentais incomuns, nada indica que seu sentimento de *ser um self* foi alterado ou perdido. Uma pessoa pode não distinguir entre conteúdo gerado por si mesma e conteúdo gerado pelo mundo, e, por isso, confundir suas imagens internas com dados dos sentidos.

É verdade que existe uma diferença entre encontrar um rato na cama e ter alucinação (ou apenas sonhar) com um rato na cama. Mas o sentimento de ser um self permanece constante.

Autorreconhecimento

Imagine que você acorda de um sono profundo e se vê aprisionado em uma sala desconhecida sem janelas. Onde você está? Não tem a menor ideia. Providenciou-se um espelho para seu esclarecimento, e você olha para ele. O que você vê? Há um pontinho vermelho pintado em sua testa, mas, por alguma razão, você não repara nele. Você logo perde o interesse por seu próprio reflexo e começa a procurar comida pela sala. Afinal de contas, você é um gorila e não liga para a sua aparência.

Examinando a literatura sobre o self, descobrimos que se deu grande atenção ao fato de que algumas criaturas prestam atenção ao seu reflexo no espelho com toda a vaidade de uma dama da corte do século XVIII, enquanto outras respondem como o fariam diante de outro membro de sua espécie.[11] O "teste do espelho" tem sido uma ferramenta básica nos estudos de primatas e do desenvolvimento infantil por muitas décadas como uma sonda virtual para o self — porque se supõe que somente as criaturas que se comportam com o indispensável narcisismo diante do espelho possuem "autoconhecimento" ou mesmo (e aqui somos brindados com um uso equivocado e especialmente deprimente do termo) "consciência". Embora o autorreconhecimento no espelho e o uso do pronome pessoal pareçam emergir mais ou menos ao mesmo tempo no desenvolvimento humano (entre quinze e 24 meses de idade), há muitas razões para crer que o autorreconhecimento e o sentimento de self sejam estados mentais distintos — portanto, diferem também no nível cerebral.[12]

O autorreconhecimento depende do contexto. Certos pacientes neurológicos são incapazes de se reconhecer no espelho (o chamado "delírio do sinal do espelho"), mas conseguem se identificar em fotografias,[13] e esses sujeitos não dão indicações de que perderam um self nem o reconhecimento dele. Assim, qual é a relação entre o autorreconhecimento e o sentimento que chamamos de "eu"? O fato de que a palavra "self" é usada em geral quando se faz referência a esses fenômenos não sugere que exista qualquer relação profunda entre eles. Parece bem possível, por exemplo, que uma pessoa incapaz de reconhecer seu próprio rosto em qualquer circunstância possua um sentido de self intacto, do mesmo modo que você não sofreria alterações em seu sentido de self ao ver um estranho. Não existe absolutamente nada na experiência de *não reconhecer um rosto*, mesmo que seja o seu próprio, que indique uma privação de self ou qualquer coisa nessa linha.

Teoria da mente

Uma das coisas mais importantes que fazemos com nossa mente é atribuir estados mentais a outras pessoas, uma faculdade que recebe designações variadas como "teoria da mente", "mentalização", "mindsight",* "leitura da mente", "estado intencional" etc.[14] A capacidade de reconhecer e interpretar a atividade mental dos outros é essencial para o desenvolvimento cognitivo e social normal, e deficiências nessa área contribuem para vários transtornos mentais, entre eles o autismo. Mas qual é a relação entre a percepção que alguém tem dos outros e a que tem de si mesmo? Muitos cientistas e filósofos aventam que as duas têm de estar profundamente ligadas.[15] Nesse caso, parece natural que os estu-

* "Capacidade de ver a mente." (N. T.)

dos da teoria da mente* trouxessem algum esclarecimento à estrutura do self. Infelizmente, porém, o modelo de TOM que os pesquisadores empregam em geral não pode fazer isso. Considere o texto a seguir, cujo objetivo é evocar o processamento de TOM em sujeitos submetidos a experiências:

> Um ladrão acaba de roubar uma loja e está fugindo. Enquanto ele corre para casa, um policial que faz a ronda vê que o ladrão deixa cair uma luva. Ele não sabe que se trata de um ladrão e só quer avisar o homem de que ele derrubou o objeto. Mas quando o policial grita "Ei, você aí! Pare!", o ladrão se vira, vê o policial e se entrega. Ergue as mãos e admite que invadiu a loja do bairro.
>
> Pergunta: por que o ladrão fez isso?[16]

A resposta é óbvia, exceto para uma criança pequena ou para quem sofre de autismo. Se um indivíduo não é capaz de interpretar o ponto de vista do ladrão na história, não saberá por que o bandido se comportou assim. Esses estímulos experimentais são essenciais em estudos da teoria da mente, mas têm pouquíssima relação com nossas atribuições mais básicas de estados mentais a outras pessoas. Embora usemos nossas capacidades de inferência para atribuir estados mentais complexos aos outros, e a expressão "teoria da mente" o reflita, parece que, antes de tudo, e talvez independentemente, fazemos uma atribuição muito mais básica: reconhecemos que as outras pessoas *nos percebem* (ou podem nos perceber). Explicar o comportamento do ladrão requer um nível de cognição superior ao necessário para a simples percepção de que se está na presença de *outro* ser senciente. E a sensação de que

* Abreviado como TOM ("theory of mind", em inglês). (N. T.)

outra pessoa pode me ver ou ouvir é bem distinta da minha percepção das crenças e desejos desse indivíduo. Essa avaliação mais primitiva pareceria ser a teoria da mente no nível mais fundamental. E também poderia ter uma ligação profunda com nosso sentido de self.

O filósofo francês Jean-Paul Sartre acreditava que nosso convívio com as pessoas constitui a circunstância primária da autoformação.[17] Segundo essa noção, cada um de nós está sempre na posição de um *voyeur* que, enquanto contempla o objeto de seu desejo, subitamente ouve o som de alguém a se aproximar por trás. Repetidas vezes, somos arrancados da segurança e do isolamento da subjetividade pura pelo conhecimento de que nos tornamos objetos no mundo para os outros.

Acredito que Sartre descobriu algo importante. A impressão primitiva de que outra criatura se apercebe de nós parece ser o aspecto em que a teoria da mente é relevante para o sentido de self. Se você duvida, lhe recomendo o seguinte exercício: vá a um lugar público, escolha uma pessoa qualquer e fite seu rosto até que ela olhe para você. Para fazer disso mais que uma provocação sem sentido, observe a mudança que ocorre em você no momento em que se estabelece o contato visual. Que sensação é essa que o obriga a desviar imediatamente o olhar ou a começar a falar? A qualidade autorramificante dessa forma de TOM parece incontestável, porque sem atribuir a percepção aos outros, você não tem a sensação de que estão olhando para você. Há uma diferença a ser sentida aqui — ser olhado apenas *parece* diferente de não ser olhado —, e a diferença pode ser descrita, ou pelo menos é o que afirmo, como uma expansão do sentimento que chamamos de "eu". Parece inegável que a autoconsciência e essa forma mais fundamental de TOM são estreitamente relacionadas.[18] O neurologista V. S. Ramachandran[19] parece pensar nessa linha quando escreve: "Pode não ser coincidência que [você] use expressões como 'autoconsciente' quando, na verdade, quer dizer que está cônscio de que outros estão cônscios de você".*

Para entender melhor a distinção entre a TOM fundamental e a TOM que protagoniza a literatura científica atual, pense no que acontece quando assistimos a um filme. A experiência de se sentar no cinema às escuras e ver pessoas interagirem na tela é uma espécie de encontro social — mas um encontro no qual nós, como participantes, somos eclipsados de todo. É muito provável que isso explique por que tantos de nós somos fascinados por cinema e televisão. No momento em que voltamos os olhos para a tela, estamos em uma situação social que nossos genes hominídeos não tinham como prever: podemos ver as ações de outros, inclusive as minúcias das expressões faciais — e mesmo fazer contato visual com eles —, sem o menor risco de sermos observados também. Filmes e televisão transformam magicamente o contexto primordial dos encontros face a face, nos quais os seres humanos sempre estiveram sujeitos a dilacerantes lições sociais, permitindo, pela primeira vez, que nos dediquemos inteiramente ao ato de observar pessoas. É um tipo transcendental de voyeurismo. A despeito do que mais se possa dizer sobre a experiência de assistir a um filme, ela dissocia por completo a TOM fundamental da TOM clássica, porque não há dúvida de que atribuímos estados mentais aos atores na tela. Fazemos todos os julgamentos que o conceito clássico de TOM requer, mas eles não contribuem muito para estabelecer nosso sentido de self. De fato, é difícil encontrar uma situação na qual nos sintamos *menos* autoconscientes do que quando estamos sentados em uma sala de cinema escura assistindo a um filme, e, no entanto, estamos o tempo todo contemplando as crenças, as intenções e os desejos de outras pessoas.

* Em inglês essa frase faz mais sentido, pois o que se está traduzindo aqui como "autoconsciente" é a expressão inglesa "*self conscious*", que, usada coloquialmente, também pode significar "inibido" ou "constrangido". (N. T.)

* * *

Ramachandran e outros salientaram que a descoberta dos "neurônios-espelho" ajuda a corroborar a ideia de que o sentido de self e outros sentimentos podem surgir do mesmo conjunto de circuitos no cérebro. Alguns acreditam que os neurônios-espelho também são essenciais para nossa capacidade de sentir empatia e podem explicar inclusive o surgimento da comunicação gestual e da linguagem falada. O que sabemos é que certos neurônios aumentam a taxa de disparo quando executamos ações orientadas para objetos com as mãos (pegando, manipulando) e ações de comunicação ou de ingestão com a boca. Os neurônios também disparam, embora com menos rapidez, sempre que testemunhamos as mesmas ações em outras pessoas. Pesquisas com macacos sugerem que esses neurônios codificam não os movimentos físicos propriamente ditos, mas as *intenções* por trás de uma ação observada (por exemplo, pegar uma maçã com o objetivo de comê-la em comparação a apenas mudá-la de lugar). Nesses experimentos, o cérebro de um macaco parece representar o comportamento deliberado de outros, como se ele próprio executasse essas ações. Resultados semelhantes foram obtidos em experimentos com humanos usando técnicas de neuroimagem.[20]

Alguns cientistas acreditam que os neurônios-espelho fornecem uma base fisiológica para o desenvolvimento da imitação e da formação de vínculos sociais no início da vida e para a compreensão de outras mentes depois.[21] E com certeza é sugestivo que crianças com autismo pareçam apresentar atividade reduzida nos neurônios-espelho em proporção com a gravidade de seus sintomas.[22] Como hoje se sabe, pessoas com autismo tendem a ser incapazes de imaginar a vida mental dos outros. De modo inverso, um estudo longitudinal da meditação compassiva, que produziu um significativo aumento na empatia dos sujeitos no decorrer de oito semanas, constatou um aumento da atividade em uma das regiões que supostamente contêm neurônios-espelho.[23]

Talvez a percepção das outras mentes seja uma condição necessária para termos a percepção de nossa própria mente. Sem dúvida isso não indica que o sentimento que chamamos de "eu" desaparece quando estamos sozinhos. Se nosso conhecimento do self e do outro é indivisível de verdade, nossa percepção dos outros tem de ser internalizada no começo da vida. Em termos psicológicos, isso decerto parece um modo plausível de se descrever a estrutura da subjetividade. Todos os pais já viram os filhos porem para funcionar a capacidade progressiva de falar ao manter monólogos contínuos com eles mesmos. Os monólogos prosseguem por toda a vida como se fossem, efetivamente, *diálogos*. A conversa resultante parece estranha e desnecessária. Por que deveríamos viver em um *relacionamento* conosco, em vez de *sermos* apenas nós mesmos? Por que um "eu" e um "mim" deveriam fazer companhia um ao outro?

Imagine que você perdeu seus óculos de sol. Procura-os pela casa e finalmente os encontra, em cima da mesa onde os deixou ontem. Você pensa na hora: "Lá estão eles!" enquanto atravessa a sala para pegá-los. Mas para quem você está pensando essas palavras? Talvez você até tenha dito a frase em voz alta: "Lá estão eles!". Mas quem precisava ser informado dessa maneira? *Você* já viu os óculos. Há mais alguém que os procura?

Imagine que você está em um lugar público e, por acaso, vê que um estranho localiza os óculos de sol que ele havia perdido. Ele exclama, como você poderia fazer: "Lá estão eles!" e os pega sobre a mesa. Em geral, todos costumam sentir uma pontinha de constrangimento em momentos assim, mas se a exclamação se limitou a uma frase breve e foi provocada por um acontecimento inócuo, quem a proferiu não fez nada de mais, e os circunstantes não ficam com medo. Por outro lado, imagine se essa pessoa continuasse a falar consigo mesma em voz alta: "Onde pensou que eles estariam, seu tonto? Você andou por esse prédio durante dez minutos. Agora vou chegar atrasado ao almoço com a Júlia, e ela é sempre pontual!". Esse homem não precisa dizer mais uma palavra para garantir nossa eterna desconfiança sobre suas faculdades mentais. No entanto, a condição dele não difere da nossa. Esses são exatamente os pensamentos que poderíamos ter na privacidade de nossa mente.

Vimos que o sentido de self se distingue lógica e empiricamente de muitas outras características da mente com as quais muitos o fundem. Para compreendê-lo no nível do cérebro, portanto, precisaríamos estudar pessoas que não o vivenciam mais. Como veremos, certas práticas de meditação são bem apropriadas em pesquisas desse tipo.

PENETRANDO A ILUSÃO

Para a neurologia, o sentimento de possuir um self persistente e unificado tem de ser uma ilusão, porque ele é construído com base em processos que, por sua própria natureza, são transitórios e variados. Não existe uma região no cérebro que possa ser a sede de uma alma. Tudo o que nos faz humanos — nossa vida emocional, a capacidade para linguagem, os impulsos que originam comportamentos complexos e nossa capacidade de conter outros impulsos que consideramos não civilizados — se encontra disperso por todo o córtex e também por muitas regiões subcorticais. O cérebro inteiro está envolvido no trabalho de fazer de nós o que somos. Portanto, não precisamos esperar por nenhum dado de laboratório para afirmar que o self não pode ser o que parece.

A sensação de que somos sujeitos unificados é uma ficção, produzida por uma multidão de processos e estruturas separadas, dos quais não nos damos conta e sobre os quais não exercemos controle. E mais: muitos desses processos podem ser perturbados independentemente, produzindo deficiências que pareceriam impossíveis se não fosse tão fácil comprová-las. Algumas pessoas, por exemplo, enxergam bem, mas não são capazes de detectar movimento. Outras conseguem ver objetos e seus movimentos, mas não os localizam no espaço. O senso comum não pode atinar para o modo como a mente depende do cérebro e para a maneira como suas capacidades podem ser prejudicadas. Nesse caso, como em outros na ciência, a aparência das coisas muitas vezes é um guia inadequado para explicar o modo como elas são.

A afirmação de que podemos experimentar a consciência sem um sentido de self convencional — de que não há um cavaleiro montado no cavalo — parece se assentar em firmes bases neurológicas. Seja o que for que leve o cérebro a gerar a falsa noção de que existe um pensador vivo em algum lugar da cabeça, faz sentido também que ele possa parar de produzir essa sensação. E assim que isso acontece, nossa vida interior se torna mais fiel aos fatos.

Como saber que o sentido de self convencional é uma ilusão? Quando o examinamos com atenção, ele desaparece. Isso é tão eloquente quanto o desaparecimento de uma ilusão: você pensava que houvesse alguma coisa ali, mas, quando foi olhar de perto, viu que não havia. O que não sobrevive a um exame atento não pode ser real.

O exemplo clássico da tradição indiana é a corda enrolada que é confundida com uma cobra: imagine que você avista uma cobra no canto da sala e sente de imediato uma onda de medo. Mas depois nota que ela não se move. Olha mais de perto e vê que ela parece não ter cabeça, e de repente nota fios enrolados de fibras que você confundiu com um padrão de escamas. Você se aproxima mais e vê que se trata de uma corda. Um cético poderia indagar: "Como você sabe que a corda é real e a cobra, uma ilusão?". Pode parecer uma questão razoável, mas só para quem não passou pela experiência de examinar com atenção uma cobra e vê-la desaparecer. Como a cobra *sempre* se revela uma corda, e não o contrário, não existe base empírica para se acalentar uma dúvida assim.

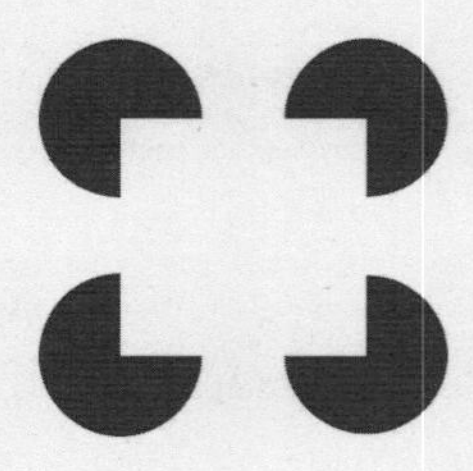

Talvez você consiga ver o mesmo efeito na ilusão acima. Certamente *parece* haver um quadrado branco no centro da figura, mas quando examinamos a imagem, vemos que existem somente quatro círculos parciais. O quadrado foi imposto pelo nosso sistema visual, cujos detectores de bordas foram logrados. Podemos *saber* que as formas pretas são mais reais do que o quadrado branco? Sim, pois o quadrado não sobrevive a nossos esforços para localizá-lo: suas bordas desaparecem. Com alguma investigação, vemos que sua forma está apenas implícita. De fato, se olharmos com atenção suficiente, é possível se dissipar totalmente a ilusão. Mas o que dizer a um cético que insiste em que o quadrado branco é tão real quanto os três quartos de círculos? Tudo o que podemos fazer é lhe pedir que olhe com mais atenção. Não se trata de se debater fatos relacionados com outras pessoas; e sim de se examinar a própria experiência com mais atenção.

No capítulo seguinte, veremos que a ilusão do self pode ser investigada — e dissipada — exatamente desse modo.

4. Meditação

Psicólogos e neurocientistas reconhecem hoje que a mente humana tende a divagar, empenhada nos chamados "pensamentos independentes de estímulos". O principal método de estudo fora de laboratório de fenômenos mentais do gênero é uma técnica chamada "amostragem de experiência". Usando-se um telefone celular ou algum outro dispositivo, pede-se aos sujeitos que descrevam o que estão fazendo e como se sentem em intervalos aleatórios ao longo do dia. Constatou-se num estudo que, quando lhes perguntaram se sua mente estava divagando — isto é, se eles pensavam em algo sem relação com a experiência do momento —, os sujeitos relataram que estavam perdidos em pensamentos em 46,9% do tempo.[1] Toda pessoa com treinamento em meditação sabe que essa porcentagem sem dúvida é maior — em especial se fôssemos contar todos os pensamentos que, embora talvez relacionados de modo superficial com a tarefa presente, ainda assim constituem uma distração desnecessária. Por menos confiável que possam ser os relatos pessoais, o estudo constatou que as pessoas são consistentemente menos felizes quando sua mente divaga, mesmo se o conteúdo dos pensamentos for agradável. Os autores concluíram que "a mente humana é divagante, e a mente divagante é uma mente infeliz". Quem já passou um tempo em um retiro silencioso há de concordar.

A mente divagante foi correlacionada à atividade nas regiões da linha mediana do cérebro, em especial o córtex pré-frontal medial e o córtex parietal medial. Essas áreas com frequência são chamadas de "rede padrão" ou "rede de estado de repouso" porque são as mais ativas quando estamos apenas em compasso de espera, aguardando que algo aconteça. A atividade na rede padrão [*default-mode network*, abreviada como DMN] diminui quando os sujeitos se concentram em tarefas do tipo empregado na maioria dos experimentos com neuroimagem.[2]

A DMN também foi associada à nossa capacidade de "autorrepresentação".[3] Se uma pessoa acredita ser alta, por exemplo, o termo *alto* produzirá um sinal maior nessas regiões da linha mediana do que o termo *baixo*. De modo análogo, a DMN é mais ativada quando fazemos esse tipo de avaliação de relevância sobre nós mesmos, em oposição a fazê-las sobre outra pessoa. Ela também tende a ser mais ativa quando avaliamos uma cena do ponto de vista da primeira pessoa (em vez da terceira pessoa).[4]

De modo geral, prestar atenção no que está fora de nós reduz a atividade na linha mediana do cérebro, enquanto pensar em nós mesmos a eleva. Esses resultados parecem se reforçar mutuamente e poderiam explicar a experiência comum de nos "perdermos no trabalho".[5] A meditação da atenção plena e a meditação da bondade amorosa (*metta*, em páli) também diminuem a atividade na DMN, e o efeito é mais pronunciado entre meditadores experientes (enquanto meditam e também em repouso).[6] Embora seja cedo demais para tirarmos conclusões decisivas com base nessas descobertas, elas insinuam uma ligação física entre a experiência de estar perdido em pensamentos e o sentido de self (e também um mecanismo pelo qual a meditação poderia reduzir as duas coisas).

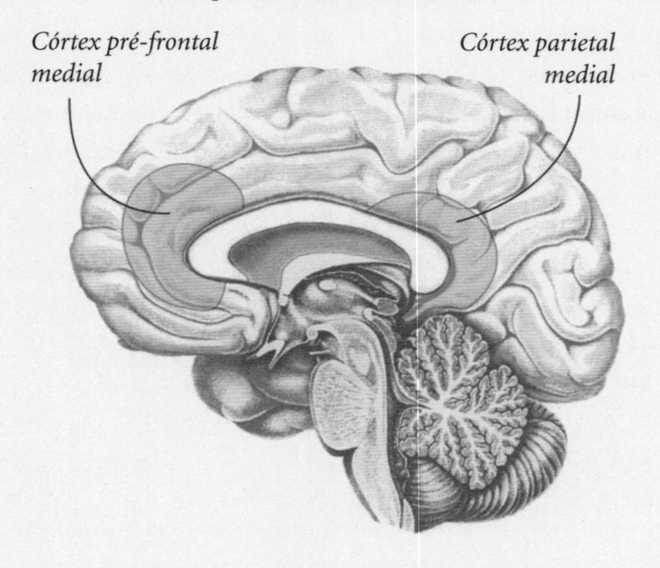

A prática da meditação por longo tempo também está associada a uma variedade de mudanças estruturais no cérebro. Meditadores tendem a possuir corpo caloso e hipocampo maiores (nos dois hemisférios). A prática também está relacionada a uma maior espessura da substância cinzenta e à maior formação de sulcos e giros no córtex. Algumas dessas diferenças se salientam em especial em praticantes mais velhos, o que sugere que a meditação poderia proteger contra um adelgaçamento do córtex devido à idade.[7] A importância cognitiva, emocional e comportamental desses achados anatômicos ainda não foi estudada, mas não é difícil ver que eles poderiam explicar os tipos de experiências e mudanças psicológicas relatadas por meditadores.

Meditadores experientes (com mais de 10 mil horas de prática) respondem de modo diferente à dor em comparação aos novatos. Sua avaliação da intensidade de um estímulo desagradável é igual, mas eles o julgam menos incômodo. Também apresentam menor atividade em regiões associadas à ansiedade quando preveem uma sensação de dor, e se habituam mais rápido ao estímulo quando ele ocorre.[8] Outro estudo constatou que a atenção plena reduz a sensação de incômodo e a intensidade de estímulos danosos.[9]

Há tempos se sabe que o estresse, em particular na fase inicial da vida, altera a estrutura do cérebro. Estudos com animais e humanos mostraram, por exemplo, que o estresse no começo da vida aumenta o tamanho das amígdalas. Um estudo concluiu que um programa de oito semanas de meditação da atenção plena reduziu o volume da amígdala basolateral direita, e essas mudanças estavam correlacionadas a uma diminuição subjetiva do estresse.[10] Outro estudo constatou que um dia inteiro de prática de atenção plena (entre meditadores treinados) reduziu a expressão de vários genes que produzem inflamação em todo o corpo, e ela se correlacionou a uma resposta melhor ao estresse social (diabolicamente, pediu-se aos sujeitos que fizessem um breve discurso e cálculos mentais enquanto eram filmados diante de um público).[11] Meros cinco minutos de prática diários (por cinco semanas) aumentaram a atividade da linha de base do lado esquerdo do córtex frontal — um padrão que, como vimos ao tratar do cérebro dividido, foi associado a emoções positivas.[12]

Um exame da literatura psicológica indica que a atenção plena, em especial, favorece muitos componentes da saúde física e mental: melhora a função imunológica, a pressão arterial e os níveis de cortisol; reduz a ansiedade, a depressão, os transtornos neuróticos e a reatividade emocional. Ela também propicia a regulação comportamental e se mostrou promissora no tratamento de toxicodependência e de distúrbios alimentares. Não surpreende que a prática esteja associada a um maior bem-estar subjetivo.[13] O treinamento em meditação compassiva aumenta a empatia, medida pela capacidade de julgar com precisão as emoções de outras pessoas,[14] e também o afeto positivo na presença de sofrimento.[15] Demonstrou-se que a prática de atenção plena produz efeitos pró-sociais semelhantes.[16]

A investigação científica de vários tipos de meditação está apenas começando, mas existem hoje centenas de estudos que indicam que essas práticas nos fazem bem. Repetindo: de um ponto de vista pessoal, nada disso é surpreendente. Afinal, existe uma enorme diferença entre ser refém dos próprios pensamentos e ter a percepção da vida presente de um modo livre e sem julgamento. Fazer essa transição é interromper os processos de ruminação e reatividade que muitas vezes nos mantêm tão indispostos conosco mesmos e com as outras pessoas. Sem dúvida há muitos mecanismos distintos envolvidos: regulação da atenção e do comportamento, maior percepção corporal, inibição de emoções negativas, reestruturação conceitual da experiência, mudanças na visão do "self" etc. — e cada um desses processos terá suas próprias causas neurológicas. No sentido mais amplo, porém, meditação é a simples capacidade de parar de sofrer de muitos dos modos usuais, ainda que só por alguns momentos de cada vez. Como poderia não ser uma habilidade que vale a pena cultivar?

REALIZAÇÃO GRADUAL E SÚBITA

Não tentaríamos meditar ou nos dedicar a qualquer outra prática contemplativa se não sentíssemos a necessidade de melhorar alguma coisa em nossa experiência. Mas nisso reside um dos paradoxos centrais da vida espiritual, porque justo esse sentimento de insatisfação nos impede de notar a liberdade intrínseca da consciência no presente. Como vimos, há boas razões para crer que a adoção de uma prática como a meditação pode trazer mudanças positivas à nossa vida. Mas o objetivo mais profundo da espiritualidade é se libertar da ilusão do self — e *buscar* essa liberdade, como se ela fosse um estado futuro a ser alcançado por meio de esforço, é reiterar os grilhões do nosso aparente cativeiro a cada instante.

Tradicionalmente, há duas soluções para o paradoxo. Uma delas é desconsiderá-lo e adotar várias técnicas de meditação na esperança de que haja uma evolução. Algumas pessoas parecem consegui-lo, mas muitas fracassam. É verdade que, nesse meio tempo, acontecem coisas boas: podemos nos tornar mais felizes e mais concentrados. Mas também podemos perder a esperança em todo o projeto. As palavras dos sábios podem começar a soar como promessas vãs, e ficamos apenas no aguardo de experiências transcendentes que nunca chegam ou que são apenas temporárias.

A suprema sabedoria da iluminação, seja ela o que for, não pode se constituir de experiências fugazes. O objetivo da meditação é descobrir uma forma de bem-estar que seja inerente à natureza da mente. Portanto, ela tem de estar disponível no contexto das visões, dos sons, das sensações e até dos pensamentos comuns. Experiências culminantes são ótimas, mas a liberdade verdadeira precisa coincidir com a vida normal de quando estamos acordados.

A outra resposta tradicional ao paradoxo da busca espiritual é reconhecê-lo por completo e admitir que todos os esforços estão fadados ao fracasso, porque a ânsia por alcançar a autotranscendência ou qualquer outra experiência mística é um sintoma da própria doença que desejamos curar. Não se pode fazer nada a não ser desistir da busca.

Esses caminhos podem parecer antitéticos, e muitas vezes são classificados assim. O caminho da ascensão gradual é típico do budismo Teravada, assim como da maioria das outras técnicas de meditação da tradição indiana. E o gradualismo é o ponto de partida natural para qualquer busca, espiritual ou não. Esses modos de prática orientada para um objetivo têm a virtude de poderem ser ensinados com facilidade, uma vez que o indivíduo pode iniciá-los sem ter nenhum conhecimento fundamental da natureza da consciência ou do caráter ilusório do self. Basta que ele adote novos padrões de atenção, pensamento e comportamento, e o caminho se abrirá à sua frente.

Em contraste, o caminho da realização súbita pode parecer inviavelmente íngreme. Muitos o descrevem como "não dualista", porque ele se recusa a validar o ponto de vista a partir do qual uma pessoa meditaria ou faria qualquer outra prática espiritual. A consciência já é livre de qualquer coisa que se assemelhe remotamente a um self — e não existe nada que *você*, como um ego ilusório, possa fazer para compreendê-lo. Essa perspectiva pode ser encontrada na tradição indiana do Advaita Vedanta e em algumas escolas do budismo.

Em geral, quem inicia a prática na linha do gradualismo supõe que o objetivo da autotranscendência está distante e pode passar anos sem notar justo a liberdade que anseia por compreender. A desvantagem dessa abordagem ficou clara para mim quando estudei com o mestre de meditação birmanês Sayadaw U Pandita. Participei de vários retiros com U Pandita, de um ou dois meses cada um. Esses retiros se baseavam na disciplina monástica do budismo Teravada: não se come depois do meio-dia e o ideal é não dormir mais de quatro horas por noite. O objetivo exterior era se dedicar a dezoito horas diárias de meditação formal. Interiormente, ele consistia em seguir os estágios de insight descritos no tratado deixado por Buddhaghosa no século V, o *Visuddhimagga*, e elaborados nos escritos do lendário mestre de U Pandita, Mahasi Sayadaw.[17]

A lógica dessa prática é explicitamente orientada para um objetivo: segundo essa vertente, a pessoa pratica a atenção plena não porque a liberdade intrínseca da consciência pode ser compreendida no presente, mas porque ter atenção plena é um meio de alcançar uma experiência muitas vezes descrita como "cessação", que se acredita capaz de desarraigar em definitivo a ilusão do self (junto com outras aflições mentais, a depender do estágio da prática). Acredita-se que a cessação seja um vislumbre direto de uma realidade incondicional (em páli, *Nibbāna*; em sânscrito, *Nirvana*) existente por trás de todos os fenômenos manifestos.

Essa concepção do caminho da iluminação se presta a várias críticas. A primeira é que ela é enganosa no que diz respeito ao que pode ser realizado no momento presente em um estado de atenção comum. Por isso, já de saída ela favorece a confusão quanto à natureza do problema que se está tentando resolver. No entanto, é verdade que se empenhar pelo objetivo distante da iluminação (assim como pelo objetivo mais próximo da cessação) pode fazer com que a pessoa se exercite com uma intensidade que, de outro modo, seria difícil de alcançar. Nunca me esforcei tanto quanto no tempo em que pratiquei com U Pandita. Mas a maior parte do esforço derivava da própria ilusão de cativeiro do self que eu procurava superar. O modelo dessa prática é a ideia de que temos de subir a montanha para encontrar a liberdade no topo. No entanto, o self *já* é uma ilusão, e essa verdade pode ser vislumbrada diretamente, na base da montanha ou em qualquer parte do caminho. Podemos retornar dessa forma a esse insight, incontáveis vezes, como o método exclusivo de meditação, e desse modo atingir o objetivo a cada momento de prática.

Não se trata apenas de se escolher pensar de maneira diferente sobre a importância da atenção plena. A diferença reside naquilo em que somos capazes de prestar atenção. A atenção plena dualista — prestar atenção na respiração, por exemplo — ocorre em geral com base numa ilusão: a pessoa sente que é um sujeito, um lócus de consciência dentro da cabeça, capaz de, estrategicamente, prestar atenção na respiração ou em algum outro objeto em razão do bem que isso lhe fará. Trata-se de gradualismo na ação. No entanto, de um ponto de vista não dualista, poderíamos do mesmo modo ter uma atenção plena voltada diretamente para a ausência do self. Só que, para tanto, é preciso reconhecer que é assim que a consciência é — e esse insight pode ser difícil de alcançar. Contudo, ele não requer que a pessoa atinja a cessação por meio da meditação. Outro problema com o objetivo da cessação é que a maioria das tradições do budismo não o adota, e ainda assim elas produzem longas linhagens de mestres contemplativos, muitos dos quais passam décadas sem fazer nada além de meditar sobre a natureza da consciência. Se a liberdade é possível, tem de existir algum modo de consciência comum no qual ela possa ser expressa. Por que não atingir esse estado mental de modo direto?

Apesar disso, passei vários anos me desdobrando para atingir o objetivo da cessação, e no mínimo um ano desse período foi usado em retiro silencioso. Embora eu tenha tido muitas experiências interessantes, nenhuma delas pareceu se enquadrar nos requisitos específicos desse caminho. Houve períodos em que todos os pensamentos se reduziram e a sensação de ter um corpo desapareceu. O que restou foi uma extasiante vastidão de paz consciente que não tinha ponto de referência em nenhum dos canais sensoriais de costume. Muitos cientistas e filósofos acreditam que a consciência está sempre atrelada a um dos cinco sentidos — e que a ideia de uma "consciência pura", desvinculada de ver, ouvir, cheirar, sentir sabores ou tocar, é um erro categórico e uma fantasia espiritual. Tenho certeza de que eles estão enganados.

A cessação, porém, nunca veio. Dadas as minhas ideias gradualistas naquela época, isso foi muito frustrante. A maior parte do tempo que passei em retiro foi agradabilíssima, mas senti que apenas me haviam dado as ferramentas com as quais contemplava as evidências de minha ausência de iluminação. Minha prática se transformara em uma vigília: um método de aguardar, com toda a paciência, uma recompensa futura.

O pêndulo oscilou quando conheci um professor indiano, H. W. L. Poonja (1910-97), chamado por seus alunos de "Poonja-ji" ou "Papaji". Poonja-ji foi discípulo de Ramana Maharshi (1879-1950), talvez o sábio indiano mais reverenciado no século xx. A iluminação de Ramana foi inusitada, porque ele não tivera nenhum interesse espiritual aparente nem contato com um professor. Aos dezesseis anos, vivendo em uma família de classe média de brâmanes do sul da Índia, ele se tornou um adepto espiritual espontaneamente.

Sentado sozinho no escritório de seu tio, Ramana ficou de súbito paralisado pelo medo da morte. Deitou-se no chão, certo de que iria morrer, mas, em vez de permanecer aterrorizado, decidiu localizar o self que estava prestes a desaparecer. Concentrou-se no sentimento do "eu" — um processo que chamou depois de "autoinquirição" — e constatou que ele está ausente do campo da consciência. Ramana, a pessoa, não morreu naquele dia, mas ele afirmou que o sentimento de ser um self separado nunca mais obscureceu sua consciência.

Depois de tentar em vão se comportar como o rapaz comum que fora, Ramana deixou sua casa e viajou para Tiruvannamalai, um antigo local de peregrinação dos seguidores de Shiva. Ali passou o resto da vida, próximo à montanha Arunachala, com a qual ele dizia ter uma ligação mística.

Nos primeiros anos de seu despertar, Ramana pareceu perder a capacidade de falar, e diziam que ele se absorvia tanto em sua experiência de consciência transfigurada que permanecia imóvel por dias seguidos. Seu corpo enfraqueceu, ele ganhou feridas e teve de ser cuidado pelos poucos moradores da área que se preocupavam com ele. Após uma década de silêncio, por volta de 1906, Ramana começou a promover diálogos sobre a natureza da consciência. Até o fim da vida, recebeu um fluxo constante de interessados em estudar com ele. Costumava dizer coisas assim:

> A mente é um amontoado de pensamentos. Os pensamentos surgem porque existe o pensador. O pensador é o ego. O ego, se procurado, desaparece automaticamente.[18]

> A realidade é simplesmente a perda do ego. Destrua o ego buscando sua identidade. Como o ego não é entidade, ele desaparecerá automaticamente, e a realidade se apresentará brilhante por si mesma. Esse é o método direto, ao passo que todos os outros métodos são praticados apenas retendo o ego. [...] Não é preciso *sadhanas* [práticas espirituais] para empreender essa busca.

> Não há maior mistério do que esse — o de que, sendo a realidade, buscamos ganhar a realidade. Pensamos que há algo que esconde nossa realidade e que ele tem de ser destruído antes de a realidade ser ganha. Isso é ridículo. Chegará o dia em que você mesmo rirá de seus esforços passados. Será no dia em que seu riso for também aqui e agora.[19]

Toda tentativa de se entender esses ensinamentos da perspectiva científica, da terceira pessoa, produz logo monstruosidades. Do ponto de vista da ciência psicológica, por exemplo, a mente não é apenas "um amontoado de pensamentos". E em que sentido a realidade pode ser "simplesmente a perda do ego"? Essa realidade inclui quasares e hantavírus? Mas esses são o gênero de evasivas que nos levam a não compreender o argumento de Ramana.

Embora a filosofia do Advaita, e as próprias palavras de Ramana, tendam a corroborar a interpretação metafísica de ensinamentos desse tipo, sua validade não é metafísica. Em vez disso, ela é experiencial. Todo o Advaita pode ser sintetizado em uma série de afirmações simples e possíveis de serem testadas: a consciência é a condição prévia de toda experiência; o self ou ego é uma aparição ilusória dentro dela; se você procurar com atenção o que chama de "eu", o sentimento de ser um self distinto desaparecerá; o que resta, por experiência, é um campo de consciência — livre, indivisa e intrinsecamente não contaminada por seus conteúdos sempre mutáveis.

Essas são as verdades simples que Poonja-ji ensinava. De fato, ele era ainda mais inflexível que seu guru na questão da não dualidade. Enquanto Ramana admitiu muitas vezes a utilidade de certas práticas dualistas, Poonja-ji nunca cedia nem um centímetro sequer. O efeito era inebriante, em especial para aqueles dentre nós que haviam passado anos praticando meditação. Poonja-ji também era dado a acessos espontâneos de choro e riso, ambos, aparentemente, de pura felicidade. O homem não escondia seus próprios méritos. Quando o conheci, ele ainda não havia sido descoberto pelas multidões de devotos ocidentais que logo transformariam sua casinha em Lucknow num circo espiritual. Como seu professor Ramana, Poonja-ji se dizia completamente livre da ilusão do self. E, ao que parecia, era mesmo. Como Ramana — e todos os demais gurus indianos —, Poonja-ji às vezes dizia coisas profundamente acientíficas. De modo geral, porém, seus ensinamentos eram livres da religiosidade hinduísta e de afirmações infundadas sobre a natureza do cosmo. Ele parecia apenas falar por experiência própria sobre a natureza da experiência em si mesma.

A influência de Poonja-ji sobre mim foi profunda, em especial porque me corrigiu de todos os esforços meditativos extenuantes e insatisfatórios que eu vinha fazendo até então. Mas os perigos inerentes à sua abordagem logo ficaram evidentes. O caráter de tudo ou nada dos ensinamentos de Poonja-ji o obrigavam a reconhecer a iluminação total de qualquer pessoa que fosse pretensiosa ou maníaca o suficiente para dizer que a alcançara.

Muitas vezes vi colegas estudantes declararem ter atingido a liberdade completa e imorredoura enquanto pareciam bem comuns — ou piores. Em certos casos, era claro que essas pessoas tinham vivenciado algum tipo de descoberta, mas a insistência de Poonja-ji no caráter decisivo de cada insight legítimo levara muitos deles a se iludir quanto às suas realizações espirituais. Alguns deixaram a Índia e se tornaram gurus. Pelo que pude discernir, Poonja-ji deu a cada um a bênção para difundirem seus ensinamentos daquela maneira. Em uma ocasião ele sugeriu que eu mesmo o fizesse, e, no entanto, para mim estava claro que eu não tinha qualificação para ser guru de ninguém. Passaram-se quase vinte anos, e continuo sem tê-la. Obviamente, do ponto de vista de Poonja-ji, isso é uma ilusão. Contudo, existe, sim, uma diferença entre uma pessoa como eu, que costuma ser distraída por pensamentos, e outra que não é e não pode sê-lo. Não sei onde situar Poonja-ji nesse continuum de sabedoria, mas ele parecia estar bem à frente de seus alunos. Se era capaz de perceber a diferença entre si próprio e outras pessoas, eu não sei. Mas sua insistência em que não existia diferença começou a parecer dogmática ou ilusória.

Certa ocasião, os acontecimentos conspiraram para iluminar perfeitamente a falha nos ensinamentos de Poonja-ji. Um pequeno grupo de praticantes experientes (entre nós, vários professores de meditação) organizou uma viagem à Índia e ao Nepal para passar dez dias com Poonja-ji em Lucknow, seguidos por dez dias em Katmandu. Queríamos aprender sobre a prática do Dzogchen, do budismo tibetano. Aconteceu, durante nossa estada em Lucknow, de uma mulher da Suíça se tornar "iluminada" na presença de Poonja-ji. Durante a maior parte da semana, ela foi celebrada como uma candidata a ser o próximo Buda. Poonja-ji a apontava repetidas vezes como prova de que a verdade podia ser percebida por completo sem que se fizesse nenhum esforço de meditação, e nos deleitamos vendo aquela mulher se sentar ao lado de Poonja-ji em uma plataforma elevada, exibindo a felicidade suprema que havia agora em seu canto do universo. De fato, ela mostrava uma felicidade radiante, e não era claro que Poonja-ji tinha cometido um erro em reconhecê-la. Ela dizia "Não há nada além da consciência, e não existe diferença entre ela e a realidade em si". Vindo de uma pessoa tão simpática e franca, não havia razão para duvidar da profundidade de sua experiência.

Chegada a hora de nosso grupo partir da Índia para o Nepal, a mulher pediu para ir junto. Como ela era ótima companhia, nós a incentivamos a vir conosco. Alguns de nós também estavam curiosos para descobrir como a realização dela seria vista em outro continente. Foi assim que uma mulher cuja iluminação acabara de ser confirmada por um dos maiores expoentes vivos do Advaita Vedanta esteve presente quando recebemos nossos primeiros ensinamentos de Tulku Urgyen Rinpoche, considerado por todos um dos maiores mestres vivos do Dzogchen.

De todos os ensinamentos budistas, os do Dzogchen são os que mais se assemelham aos ensinamentos do Advaita. As duas tradições procuram provocar o mesmo insight sobre a não dualidade da consciência, mas, de modo geral, só o Dzogchen deixa absolutamente claro que é preciso *praticar* esse insight até atingir a estabilidade, e que é possível fazê-lo sem sucumbir ao empenho dualista que assombra a maioria dos outros caminhos.

A certa altura de nossas conversas com Tulku Urgyen, nosso prodígio suíço declarou sua libertação total com palavras semelhantes às que havia usado com tanto efeito com Poonja-ji. Depois de um breve diálogo divertidíssimo, durante o qual vimos Tulku Urgyen se esforçar para compreender o que o tradutor lhe dizia, ele deu uma risadinha e olhou para a mulher com novo interesse.

> "Quanto tempo se passou desde que você se perdeu em pensamentos?", ele perguntou.

"Faz mais de uma semana que não tenho pensamento algum", respondeu a mulher.

Tulku Urgyen sorriu.

"Uma semana?"

"Sim."

"Sem pensamentos?"

"Nenhum. Minha mente está completamente quieta. É apenas pura consciência."

"Isso é muito interessante. Então vamos fazer uma coisa: todos vamos esperar até que você tenha o próximo pensamento. Sem pressa. Somos todos muito pacientes. Vamos nos sentar aqui e esperar. Por favor, nos avise quando notar um pensamento surgindo em sua mente."

É difícil transmitir o brilhantismo e a sutileza dessa intervenção. Talvez esse tenha sido o momento de ensinamento mais inspirado que já presenciei.

Depois de alguns instantes, uma expressão de dúvida apareceu no rosto da nossa amiga.

"Certo... Espere... Ah... Esse pode ter sido um pensamento... Certo..."

Nos trinta segundos seguintes, vimos a iluminação daquela mulher se desenredar por completo. Ficou claro que ela vinha simplesmente *pensando* a respeito do quanto sua experiência da consciência se tornara expansiva — como era perfeitamente livre de pensamentos, imaculada, igual ao espaço — sem notar que estava *pensando sem parar.* Ela vinha contando a si mesma a história de sua iluminação — e não era desmascarada porque, por acaso, ela era uma pessoa extraordinariamente feliz, para quem tudo corria muito bem na época.

Eis o perigo de ensinamentos não duais como os que Poonja-ji fornecia a todos os que lhe procuravam. Era fácil alguém se iludir pensando que alcançara um avanço permanente, ainda mais porque ele garantia que todos os avanços tinham de ser permanentes. Já os ensinamentos do Dzogchen deixavam claro que pensar sobre o que existe além do pensamento continua a ser pensar, e um vislumbre da ausência de self em geral é apenas o começo de um processo que precisa alcançar a realização. Ser capaz de ficar absolutamente livre do sentido de self é o *começo*, não o fim, da jornada espiritual.

DZOGCHEN: FAZENDO DO OBJETIVO O CAMINHO

Tulku Urgyen Rinpoche viveu em um eremitério na encosta sul da montanha Shivapuri, com vista para o vale de Katmandu. Ele passou mais de vinte anos em retiro formal e ficou merecidamente famoso pela clareza com que dava a "instrução do apontar", uma iniciação formal ao Dzogchen na qual um professor procura comunicar diretamente a um aluno a experiência da autotranscendência. Recebi esse ensinamento de vários mestres dzogchen, além de instruções semelhantes de professores como Poonja-ji, de outras tradições, mas nunca encontrei ninguém que falasse sobre a natureza da consciência de modo tão preciso quanto Tulku Urgyen. Em seus últimos cinco anos de vida, fiz várias viagens ao Nepal para estudar com ele.

A prática do Dzogchen requer que a pessoa seja capaz de experimentar, a cada momento, a ausência intrínseca de self que acontece quando estamos atentos (isto é, não distraídos por pensamentos). Isso quer dizer que, para um meditador da tradição Dzogchen, atenção plena tem de ser sinônimo de dissipar a ilusão do self. Em vez de ensinar uma técnica de meditação — por exemplo, ficar atento à respiração —, um mestre Dzogchen deve precipitar um insight com base no qual o aluno pode, a partir de então, praticar uma forma de *rigpa** livre do dualismo sujeito/objeto. Assim, muitas vezes se diz que, no Dzogchen, o praticante "faz do objetivo o caminho", porque estar livre do self, que, em outras circunstâncias, é o objetivo da busca, é justo aquilo que se pratica. O objetivo no Dzogchen, se é que podemos usar esse termo, é ganhar cada vez mais familiaridade com esse modo de estar no mundo.

Pelo que pude observar, alguns mestres do Dzogchen são professores melhores que outros. Eu estive na presença de alguns dos mais reverenciados lamas tibetanos do nosso tempo enquanto eles ensinavam ostensivamente o Dzogchen, e a maioria deles apenas descrevia essa concepção de consciência sem dar instruções claras sobre como vislumbrá-la. A genialidade de Tulku Urgyen estava em ser capaz de apontar para a natureza da mente com a precisão e a naturalidade de quem ensina uma pessoa a enfiar uma linha na agulha, e em poder levar um meditador comum, como eu, a reconhecer que a consciência é intrinsecamente desprovida de self. A depender do estudante, pode haver de início alguma dificuldade e incerteza, mas assim que ele vislumbra a verdade da não dualidade, fica óbvio que ela sempre esteve disponível — e nunca mais ele tem dúvida a respeito de como tornar a vê-la. Procurei Tulku Urgyen ansioso pela experiência de transcender o self, e em poucos minutos ele me mostrou que eu não tinha self para transcender.

A meu ver, não há nada de sobrenatural, e nem mesmo de misterioso, nessa transmissão de sabedoria de mestre para discípulo. O efeito de Tulku Urgyen sobre mim se deu somente graças

* Termo tibetano que denota consciência desnuda e inteiramente no aqui e agora. (N. T.)

à clareza de seus ensinamentos. Como acontece em qualquer empreendimento desafiador, é difícil exagerar a diferença entre ser enganado por informações falsas, ser posicionado vagamente na direção geral e ser guiado com precisão por um especialista.

A percepção direta do ponto cego óptico mais uma vez nos fornece uma analogia: imagine que perceber o ponto cego transforme por completo a vida de uma pessoa. Em seguida, imagine que religiões inteiras como o judaísmo, o cristianismo e o islamismo tomem por base a negação da existência do ponto cego — digamos que suas doutrinas centrais afirmem a perfeita uniformidade do campo visual. Talvez outras tradições reconheçam o ponto cego, mas apenas em termos poéticos, sem dar nenhuma indicação clara sobre como reconhecê-lo. Algumas linhagens podem até ensinar técnicas pelas quais o indivíduo conseguirá ver o ponto cego por conta própria, mas apenas de forma gradual, após meses ou anos de esforço, e mesmo então seus vislumbres do ponto cego parecerão mais uma questão de sorte do que qualquer outra coisa. Em uma tradição mais esotérica, um "mestre do ponto cego" dá a "instrução de apontar", mas sem muita precisão: talvez diga ao discípulo para fechar um olho, por razões que nunca são explicitadas, e depois diga que o ponto procurado está bem na superfície da visão. Sem dúvida algumas pessoas conseguirão descobrir o ponto cego nessas condições, mas o professor com certeza poderia ser mais claro do que isso. Quanto mais claro? Se Tulku Urgyen fosse apontar o ponto cego, ele apresentaria uma figura como essa abaixo e daria as seguintes instruções:

1. Segure esta figura à sua frente, com o braço esticado.
2. Feche o olho esquerdo e fite a cruz com o direito.
3. Aproxime gradualmente a página do rosto, sempre com o olhar fixo na cruz.
4. Note quando o ponto à direita desaparece.

5. Assim que encontrar seu ponto cego, continue a experimentar com essa figura, movendo a página para frente e para trás, até que toda possibilidade de dúvida sobre a existência do ponto cego tenha desaparecido.

Não pega bem na maioria dos círculos espirituais, em particular entre os budistas, divulgar a própria realização. Mas creio que esse tabu acaba tendo um preço alto ao permitir que as pessoas permaneçam confusas quanto à forma da prática. Por isso, descreverei minha experiência com franqueza.

Antes de encontrar Tulku Urgyen, eu passara no mínimo um ano praticando *vipassana* em retiros silenciosos. A experiência da autotranscendência não me era de todo desconhecida. Eu me lembrava de momentos em que a distância entre o observador e o observado parecia desaparecer, mas achava que essas experiências dependiam de condições de extrema concentração mental. Em consequência, eu julgava que elas não fossem acessíveis em momentos mais comuns, fora de um retiro intensivo. Mas, depois de alguns minutos, Tulku Urgyen simplesmente me entregou a capacidade de atravessar por completo a ilusão do self, mesmo em estados de consciência comuns. Essa instrução foi, sem a menor dúvida, a coisa mais importante que um ser humano me ensinou explicitamente. Ela me deu um modo de escapar das marés usuais do sofrimento psicológico — medo, raiva, vergonha — em um instante. Em meu nível de prática, a liberdade dura somente alguns momentos. Mas são momentos que podem ser repetidos, e a duração deles pode aumentar. Pontuar a experiência comum dessa forma faz toda a diferença. De fato, quando presto atenção, é impossível para mim me sentir como um self: o centro implícito de cognição e emoção simplesmente se dissolve, e fica evidente que a consciência nunca é confinada de verdade pelo que ela conhece. Quem presta atenção na tristeza não está triste. Quem presta atenção no medo não está com medo. Mas, no momento em que me perco em pensamentos, fico tão confuso quanto qualquer pessoa.

Dada essa mudança na minha percepção do mundo, entendo as atrações da espiritualidade tradicional. Também reconheço a confusão e o mal desnecessários que inevitavelmente derivam das doutrinas da religião baseada na fé. Não precisei acreditar em irracionalidades sobre o universo, ou sobre o lugar que ocupo nele, para aprender a prática do Dzogchen. Não precisei aceitar as crenças do budismo tibetano sobre carma e renascimento, nem imaginar que Tulku Urgyen ou os outros mestres da meditação que encontrei possuíam poderes mágicos. E, sejam quais forem as desvantagens tradicionais do relacionamento entre guru e devoto, sei, por experiência direta, que é possível encontrar um professor capaz de ensinar com eficácia.

Infelizmente, para começar a prática do Dzogchen costuma ser necessário encontrar um professor qualificado. Existe uma vasta literatura sobre o tema, é claro, e boa parte do que escrevi neste livro representa meu próprio esforço de "apontar" para a natureza da consciência desperta. Contudo, para que sua confusão e suas dúvidas sejam resolvidas, a maioria das pessoas necessita do diálogo com um professor capaz de responder às suas questões em tempo real. Tulku Urgyen não está mais vivo, mas me disseram que seus filhos, Tsoknyi Rinpoche e Mingyur Rinpoche, ensinam em geral no mesmo estilo, e muitos outros lamas tibetanos também ensinam o Dzogchen. No entanto, nunca se sabe quanta religiosidade budista pedirão que assimilemos pelo caminho. Meu conselho é que, se você procurar esses ensinamentos, não se satisfaça enquanto não tiver certeza de que entendeu a prática. O Dzogchen não é vago nem paradoxal. Não é como o Zen, no qual uma pessoa pode passar anos sem saber se medita corretamente. A prática de reconhecer a consciência desperta não dual é chamada *trekchod*, que significa "cortar através" em tibetano, como quando se corta um cordão de tal modo que ele se destaca em duas partes. Uma vez cortado, não há dúvida de que está cortado. Recomendo que você exija a mesma clareza na sua prática de meditação.

Além da dualidade

Pense em algo agradável de sua vida pessoal — visualize o momento em que realizou algo de que se sente orgulhoso ou em que deu boas risadas em companhia de um amigo. Faça isso por um minuto. Note que o mero pensar no passado evoca um sentimento no presente. Mas a consciência propriamente dita se sente feliz? É transformada ou distorcida de verdade pelo que conhece?

Nos ensinamentos do Dzogchen, se costuma dizer que os pensamentos e as emoções surgem na consciência do mesmo modo que imagens aparecem na superfície de um espelho. Essa é apenas uma metáfora, mas capta um insight que podemos ter sobre a natureza da mente. Um espelho é melhorado por belas imagens? Não. O mesmo se pode dizer sobre a consciência.

Agora pense em algo desagradável: talvez recentemente você tenha feito alguma coisa embaraçosa ou recebido uma má notícia. Talvez esteja apreensivo com um acontecimento iminente. Repare em todo sentimento que surgir após esses pensamentos. Eles também são aparições na consciência. Eles têm o poder de mudar o que a própria consciência é?

Há uma verdadeira liberdade por trás dessas noções, mas você provavelmente não a encontrará sem examinar a fundo a natureza da consciência, muitas e muitas vezes. Note como os pensamentos continuam a surgir. Mesmo enquanto você lê esta página, sua atenção com certeza se desviou várias vezes. As derivações da mente são o principal obstáculo à meditação. A meditação não exige a supressão desses pensamentos, mas requer que os notemos quando surgem e que os reconheçamos como aparições transitórias na consciência. Em termos subjetivos, você é a própria consciência — você não é a imagem evanescente ou a série de palavras que vai surgir logo a seguir na sua mente. No entanto, se não notar o surgimento do pensamento seguinte, ele parecerá se tornar o que você é.

Mas como você poderia ser um pensamento? Seja qual for seu conteúdo, os pensamentos desaparecem quase no instante em que surgem. São como sons ou sensações fugazes em seu corpo. Como esse pensamento seguinte poderia definir a subjetividade de quem o pensou?

Pode ser preciso anos observando os conteúdos da consciência — ou apenas alguns momentos —, mas é possível perceber que a consciência propriamente dita é livre, não importa o que surja para ser notado. A meditação é a prática de encontrar diretamente essa liberdade, de desfazer nossa identificação com o pensamento e permitir que o continuum de experiências, agradáveis e desagradáveis, apenas seja como é. Existem muitas técnicas tradicionais para se fazer isso. Mas é importante perceber que a verdadeira meditação não é um esforço para produzir um dado estado mental — como a felicidade suprema, ou imagens visuais incomuns, ou amor por todos os seres sencientes. Métodos assim também existem, mas servem a uma função mais limitada. O propósito mais profundo da meditação é reconhecer o que é comum a todos os estados da experiência, agradável ou desagradável. O objetivo é perceber as qualidades que são intrínsecas à consciência em cada momento presente, independentemente do que surgir para ser notado.

Quando você consegue descansar de modo natural, testemunhando apenas a totalidade da experiência, e deixa que os pensamentos surjam e desapareçam como quiserem, pode reconhecer que a consciência é intrinsecamente indivisa. No momento em que perceber isso, você estará livre por completo do sentimento que chama de "eu". Ainda verá este livro, obviamente, mas ele será uma aparição na sua consciência, inseparável da consciência propriamente dita — e não haverá a sensação de que você está atrás dos seus olhos, fazendo a leitura.

A mudança de perspectiva não é uma questão de se ter novos pensamentos. É bem fácil *pensar* que este livro é apenas uma aparição na consciência. Outra coisa é reconhecê-lo como tal, antes que esse pensamento surja.

O gesto que precipita esse insight para a maioria das pessoas é tentar inverter a consciência — procurar por aquilo que está procurando — e notar, no *primeiro* instante em que se busca o self, o que acontece com a aparente divisão entre sujeito e objeto. Você ainda sente que está ali, atrás dos seus olhos, olhando para um mundo de objetos?

É mesmo possível buscar o sentimento que você chama de "eu" e não o encontrar de um modo conclusivo.

Douglas Harding foi um arquiteto britânico que, na maturidade, se tornou célebre em círculos *new age* por abrir uma nova porta para a experiência da ausência do self. Criado em meio à Irmandade Exclusiva de Plymouth, uma seita demasiado repressiva de fundamentalistas cristãos, Harding parece ter expressado suas dúvidas com fervor suficiente para merecer a excomunhão por apostasia. Mais tarde, ele se mudou com a família para a Índia, onde passou anos em uma jornada de autodescoberta, culminando em um insight que ele descreveu como o estado de "não ter cabeça". Não conheci Harding em pessoa, mas, depois de ler seus livros, não tenho dúvida de que ele estava tentando iniciar seus alunos na mesma compreensão que é a base da prática Dzogchen.

Harding teve esse insight depois de ver um autorretrato do físico e filósofo austríaco Ernst Mach, que teve a ideia sagaz de desenhar a si mesmo como ele próprio se enxergava: "Deito-me no sofá. Se eu fechar o olho direito, a imagem representada no corte associado se apresenta ao meu olho esquerdo. Em uma moldura formada pela crista da minha sobrancelha, meu nariz e meu bigode, aparece uma parte do meu corpo, desde que visível, junto com o seu ambiente".[20] Harding escreveu depois vários livros sobre sua experiência, entre eles uma obra muito útil intitulada *On Having no Head* ["Sobre não ter cabeça", não traduzida para o português]. É divertido, além de instrutivo, notar que seus ensinamentos foram escolhidos como alvo de zombaria pelo cientista cognitivo Douglas Hofstadter (em colaboração com meu amigo Daniel Dennett), um homem de grande erudição e inteligência que, ao que parece, não entendeu o que Harding dizia.

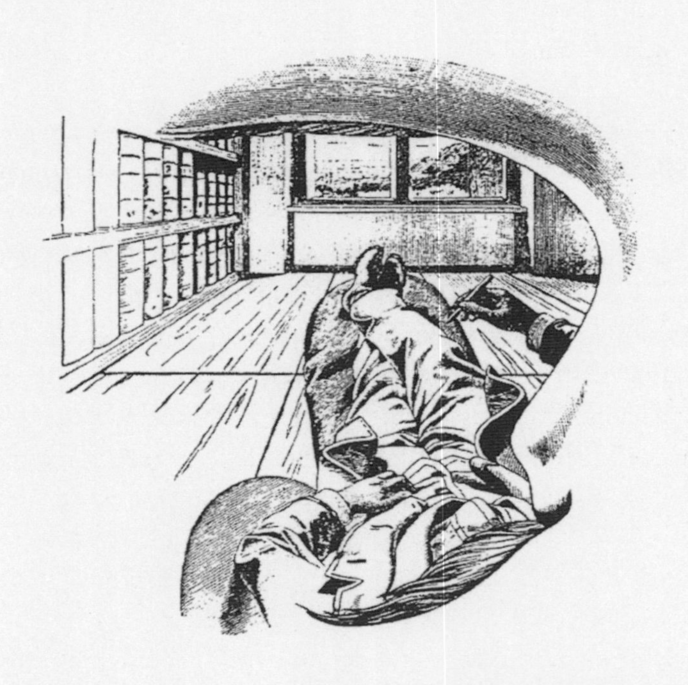

Eis um trecho do texto de Harding que Hofstadter criticou:

O que aconteceu foi algo absurdamente simples e sem nada de espetacular: parei de pensar. Uma curiosa quietude, uma estranha espécie de lassidão ou entorpecimento alerta se apoderou de mim. Razão, imaginação e toda a tagarelice mental se esvaíram. Coisa rara de acontecer, fiquei sem palavras. Passado e futuro sumiram pouco a pouco. Esqueci quem e o que eu era, meu nome, minha condição de homem, minha condição de animal, tudo o que podia ser chamado de meu. Foi como se eu tivesse nascido naquele instante, novo em folha, sem mente, destituído de memórias. Existia apenas o Agora, aquele momento presente e o que nele era claramente dado. Olhar bastava, e o que encontrei foi uma calça cáqui terminando embaixo em um par de sapatos marrons, mangas cáqui terminando lateralmente em um par de mãos rosadas e um peito de camisa cáqui terminando na parte de cima em absolutamente nada! Sem dúvida, não em uma cabeça.

Eu não demorei um só instante para notar que esse nada, o buraco onde devia haver uma cabeça, não era um vazio comum, um nada comum. Ao contrário, ele era bem ocupado. Era um vazio imensamente cheio, um nada que encontrava lugar para tudo: lugar para grama, árvores, montes distantes à sombra, e, bem acima deles, picos nevados como um renque de nuvens angulosas andando pelo céu azul. Eu tinha perdido uma cabeça e ganhado um mundo. [...] Aqui estava ela, uma cena esplêndida, resplandecente no ar límpido, sozinha, sem sustentação, misteriosamente suspensa no vazio, e (e esse foi o verdadeiro milagre, o assombro e o deleite) totalmente livre de "mim", não sustentada por um observador. Sua presença total era minha ausência total, de corpo e alma. Mais leve que o ar, mais transparente que o vidro, inteiramente liberto de mim. Eu não me encontrava em nenhuma parte. [...] Não surgiram questões, nenhuma referência além da experiência em si; apenas paz e uma alegria serena, e a sensação de ter largado um fardo intolerável. [...] Eu tinha sido cego para a única coisa que está sempre presente, e sem a qual sou deveras cego para esse maravilhoso substituto da cabeça, essa clareza ilimitada, esse vazio luminoso e absolutamente puro, que não obstante é — em vez de conter — todas as coisas. Pois, por mais que eu preste atenção, não consigo encontrar aqui nem sequer uma tela em branco na qual possam ser projetadas as montanhas, o sol e o céu, ou um espelho límpido no qual se reflitam, ou uma lente transparente ou abertura através da qual sejam vistos, muito menos uma alma ou uma mente às quais se apresentem, ou um observador (por mais obscuro) que se distinga da cena. Nada, absolutamente, intervém, nem mesmo o desnorteante e fugidio obstáculo chamado "distância": o imenso céu azul, a brancura de orlas rosadas das neves, o verde brilhante da grama — como essas coisas podem ser remotas

> quando não há nada em relação ao que ser remoto? O vazio acéfalo não admite definição nem localização: não é redondo, pequeno, grande e nem mesmo aqui distinto do lá.[21]

A afirmação de Harding de que ele não tem cabeça deve ser interpretada da perspectiva da primeira pessoa; ele não diz que foi literalmente decapitado. Da perspectiva da primeira pessoa, sua ênfase na ausência de cabeça é uma noção genial que permite uma descrição de clareza incomum de como é vislumbrar a não dualidade da consciência.

Vejamos as "reflexões" de Hofstadter sobre o relato de Harding: "Somos brindados aqui com uma visão encantadoramente pueril e solipsística da condição humana. É algo que, em um nível intelectual, nos irrita e nos consterna: como é que alguém pode acalentar ideias assim sem se constranger? No entanto, em algum nível primitivo em nós, ela fala claramente. É o nível no qual não podemos aceitar a noção da nossa própria morte".[22] Depois de expressar sua pena pelo maluquete do Harding, Hofstadter trata de explicar profusamente seus insights acerca da negação solipsística da mortalidade — uma perpetuação da ilusão infantil de que "sou um ingrediente necessário do universo". Entretanto, Harding argumenta que o "eu" não é nem sequer um ingrediente, necessário ou não, de *sua própria mente*. O que Hofstadter não percebe é que o relato de Harding contém uma instrução precisa, empírica: procure pelo que quer que você esteja chamando de "eu" sem se distrair até mesmo com a mais sutil subcorrente de pensamento — e note o que acontece no momento em que você volta a consciência para si mesma.

Isso ilustra um fenômeno muito comum em círculos científicos e seculares: temos, de um lado, um contemplador como Harding que, para qualquer um que tenha familiaridade com a experiência da autotranscendência, a descreveu de um modo que beira a clareza perfeita; de outro, um acadêmico como Hofstadter, célebre colaborador da nossa compreensão moderna da mente, que o menospreza como pueril.

Antes de rejeitar o relato de Harding como mera tolice, seria bom você investigar por si mesmo essa experiência.

Procure sua cabeça

Enquanto olha para o mundo à sua volta, use algum tempo para procurar sua cabeça. Pode parecer uma instrução estapafúrdia. Você talvez pense "É claro que não consigo ver minha cabeça. O que tem isso de mais?". Vamos com calma. Simplesmente olhe para o mundo, ou para outras pessoas, e tente voltar sua atenção à direção em que você sabe que sua cabeça está. Por exemplo, se estiver conversando com alguém, veja se consegue deixar sua atenção viajar na direção do olhar da pessoa. Ela está olhando para o seu rosto — e *você* não pode vê-lo. O único rosto presente, do seu ponto de vista, pertence à outra pessoa. Mas procurar por você mesmo desse modo pode precipitar uma súbita mudança de perspectiva, do tipo da descrita por Harding.

Há quem ache mais fácil desencadear a mudança de um modo um tanto diferente: enquanto olha para o mundo, apenas imagine que você não tem cabeça.

Seja qual for o método de escolha, não se esforce em demasia nesse exercício. Não é uma questão de mergulhar nas profundezas ou produzir alguma experiência extraordinária. A visão da ausência de cabeça está logo na superfície da consciência e pode acontecer no momento em que você tenta se virar. Preste atenção em como o mundo se parece no *primeiro* instante, e não depois de um esforço demorado. Ou você verá de imediato, ou não verá. E o vislumbre resultante da consciência desnuda durará apenas um momento antes que os pensamentos intervenham. Apenas repita esse vislumbre, muitas vezes, do modo mais descontraído possível, ao longo do seu dia.

Torno a frisar que a ausência de self não é uma característica "profunda" da consciência. Ainda assim, alguns meditam durante anos sem reconhecer isso. Depois de ter sido apresentado à prática do Dzogchen, percebi que boa parte do tempo que eu passara meditando havia sido um modo de desconsiderar ativamente o próprio insight que eu buscava.

Como é que uma coisa pode estar logo à superfície da experiência e ser difícil de ver? Já esbocei uma analogia com o ponto cego óptico. Mas outras analogias nos dão uma noção mais clara da mudança sutil na atenção que é necessária para vermos o que está bem diante dos nossos olhos.

Todos já tivemos a experiência de olhar pela janela e notar de repente nosso reflexo na vidraça. Nesse momento, temos uma escolha: usar a janela como janela e ver o mundo lá fora ou usá-la como espelho. É extraordinariamente fácil transitar entre esses dois pontos de vista, mas impossível conseguir enfocar bem os dois ao mesmo tempo. Essa mudança de perspectiva fornece uma boa analogia para como é reconhecer o caráter ilusório do self pela primeira vez e para explicar por que podemos demorar tanto para conseguir esse reconhecimento.

Imagine que você quer mostrar a alguém como uma janela também funciona como espelho. Seu amigo nunca viu esse efeito e duvida do que você diz. Você lhe mostra a maior janela da casa e, embora as condições sejam perfeitas para que ele veja seu reflexo, ele é imediatamente cativado pelo mundo lá fora. *Que vista bonita! Quem são seus vizinhos? Aquilo é uma macieira ou uma figueira?* Você começa a dizer que existem duas vistas e que o reflexo do seu amigo está bem diante dele agora, mas ele só nota que o cachorro do vizinho escapou pela porta da frente e está correndo na calçada. A cada momento, está claro para você que o seu amigo está olhando direto através da imagem de seu rosto sem vê-la.

Obviamente, você poderia levar a atenção dele direto para a superfície da janela, tocando o vidro com a mão. Isso equivaleria à "instrução do apontar" do Dzogchen. Aqui a analogia começa a falhar. É muito difícil imaginar que alguém não consegue ver seu reflexo numa janela mesmo depois de olhar durante anos — mas é o que acontece quando uma pessoa inicia muitas das formas de prática espiritual. Em essência, a maioria das técnicas de meditação consiste em modos elaborados de se olhar *através* da janela na esperança de que, se a pessoa vir o mundo com mais detalhes, por fim apareça a imagem de seu verdadeiro rosto. Imagine um ensinamento assim: *Se você se concentrar em olhar pela janela as árvores que balançam ao vento lá fora, sem distrações, verá seu verdadeiro rosto.* Sem dúvida, uma instrução desse tipo seria um obstáculo a ver o que, de outro modo, poderia ser visto diretamente. Quase tudo que já se disse ou escreveu a respeito de prática espiritual, inclusive a maioria dos ensinamentos que encontramos no budismo, dirige o olhar da pessoa para o mundo do outro lado do vidro, e assim confunde as coisas desde o início.

Contudo, é preciso começar em algum lugar. E a verdade é que a maioria das pessoas é distraída demais por seus pensamentos para que lhes seja apontada a ausência de self na consciência. E mesmo se estiverem prontas para vislumbrá-la, é provável que não compreendam sua importância. Harding confessou que muitos de seus alunos reconheceram o estado de "ausência de cabeça", mas disseram "E daí?". É muito difícil lidar com esse "E daí?". É por isso que certas tradições, como o Dzogchen, consideram secretos os ensinamentos sobre a não dualidade intrínseca da consciência, reservando-os para estudantes que passaram um tempo considerável na prática de outras formas de meditação. Em um certo nível, o requisito de que alguém tenha dominado outras práticas preliminares é apenas pragmático — pois, a menos que a pessoa possua a concentração e a atenção plena necessárias, estará sujeita a se perder em pensamentos e não entender coisa alguma. Mas há outro propósito na reserva desses ensinamentos sobre a não dualidade: a menos que a pessoa tenha dedicado tempo à busca da autotranscendência dualisticamente, tenderá a não reconhecer que o breve vislumbre de ausência de self é de fato a resposta para sua busca. Depois de dizer "E daí?" diante dos mais elevados ensinamentos, não lhe resta nada a fazer além de persistir em sua confusão.

O PARADOXO DA ACEITAÇÃO

Pode parecer que pouquíssimas coisas na vida provêm de aceitarmos o momento presente como ele é. Para nos tornarmos instruídos, precisamos ser motivados a aprender. Dominar um esporte requer que aperfeiçoemos sempre nosso desempenho e superemos a resistência ao esforço físico. Para ser um melhor cônjuge ou pai, temos de fazer um esforço deliberado para mudar nosso modo de ser. Apenas aceitar que somos preguiçosos, distraídos, fúteis, irascíveis e inclinados a desperdiçar o tempo em coisas de que mais tarde nos arrependemos não é um caminho para a felicidade.

No entanto, é verdade que a meditação requer a total aceitação do que é dado no momento presente. Se você estiver ferido e com dor, o caminho para a paz mental pode ser percorrido em um só passo: apenas aceite a dor como ela vem, enquanto faz tudo o que pode para ajudar seu corpo a se curar. Se você ficar nervoso antes de falar em público, aceite sentir plenamente a ansiedade, para que ela se torne um padrão de energia insignificante em sua mente e corpo. Aceitar os conteúdos da consciência em cada momento é um modo poderosíssimo de treinar para reagir de modo diferente à adversidade. No entanto, é importante distinguir entre aceitar sensações e emoções desagradáveis como uma estratégia — enquanto, lá no fundo, você espera que elas desapareçam — e aceitá-las de *verdade* como aparições transitórias na consciência. Somente a segunda alternativa abre a porta para a sabedoria e a mudança duradoura. O paradoxo é que podemos nos tornar mais sábios e mais compassivos e viver vidas mais plenas nos recusando a ser quem tendíamos a ser no passado. Mas também precisamos relaxar, aceitar as coisas como elas são no presente enquanto nos empenhamos em mudar a nós mesmos.

5. Gurus, morte, drogas e outros enigmas

Um dos primeiros obstáculos encontrados em todo caminho contemplativo é a incerteza básica quanto à natureza da autoridade espiritual. Se existem verdades importantes a serem descobertas por meio da introspecção, têm de haver modos melhores e piores de fazê-lo — e é de se esperar que encontremos uma variedade de especialistas, novatos, tolos e fraudes ao longo da trajetória. É óbvio que charlatães estão à espreita em cada situação da vida. Mas, em questões espirituais, tolice e fraude podem ser especialmente difíceis de detectar. Infelizmente, essa é uma consequência natural do tema. Quando você aprende um esporte como o golfe, pode verificar de imediato as habilidades do professor, e ele, por sua vez, pode avaliar o quanto você progride sem deixar nada a cargo da imaginação. Todos os fatos relevantes estão bem à vista. Se você nunca consegue mandar a bolinha branca para o local desejado, tem algo a aprender com alguém que sabe fazê-lo. A diferença entre um especialista e um novato não é menos gritante quando se trata de reconhecer a ilusão do self. Só que as qualificações de um professor e o progresso de um estudante são mais difíceis de medir.

Os professores espirituais de certa capacidade, real ou imaginada, costumam ser chamados de "gurus", e seus alunos lhes dedicam um grau incomum de devoção. Se seu instrutor de golfe exigisse que você raspasse os cabelos, não dormisse mais que quatro horas por noite, renunciasse ao sexo e subsistisse com uma dieta de vegetais crus, você procuraria outro instrutor de golfe. Mas, quando gurus fazem exigências desse porte, muitos alunos simplesmente os obedecem.

No Ocidente, o termo "guru" evoca logo a imagem de um "culto" de devotos ao seu redor — uma situação que, como se sabe, enseja distorções sociais aterradoras. Em cultos e outras comunidades espirituais alternativas, é comum encontrarmos um grupo de crédulos desajustados governados por um psicótico ou psicopata carismático. Quando pensamos em grupos como o do Templo do Povo, liderado por Jim Jones, o Ramo Davidiano sob David Koresh e a Heaven's Gate,* de Marshall Applewhite, é quase impossível entender como o feitiço começou a funcionar, muito menos como ele foi mantido em condições terríveis de privação e perigo. Mas cada um dos grupos provou que o isolamento intelectual e o abuso podem levar mesmo pessoas instruídas a se destruírem voluntariamente.

Há gurus em todos os pontos do espectro da sabedoria moral. Charles Manson foi uma espécie de guru. Jesus, Buda, Maomé, Joseph Smith e todos os outros patriarcas e matriarcas das religiões do mundo também o foram. Para o nosso objetivo, as únicas diferenças entre um culto e uma religião são o número de adeptos e o grau em que eles são marginalizados pelo resto da sociedade. A cientologia continua a ser um culto. O mormonismo se tornou (por pouco) uma religião. O cristianismo tem sido uma religião há mais de mil anos. Mas procuramos em vão diferenças em suas respectivas doutrinas que expliquem a diferença de status.

* Portão do céu. (N. T.)

Alguns gurus afirmam que veiculam os mortos, que são capazes de deixar a Terra em uma espaçonave alienígena ou que governaram a Atlântida. Outros ministram ensinamentos perfeitamente razoáveis acerca da natureza da mente e as causas do sofrimento humano — mas fazem afirmações ridículas sobre cosmologia ou as origens das doenças. Saber que alguém é um "guru" não nos diz nada além do fato de que alguns seguidores têm imensa consideração por essa pessoa. Se as razões deles são boas ou ruins — e se essas pessoas representam um perigo para os vizinhos — depende do conteúdo de suas crenças.

Professores de todas as áreas podem ajudar ou prejudicar seus alunos, e o desejo que o aluno tem de progredir e ganhar a aprovação do professor em geral pode ser explorado — nos campos emocional, financeiro ou sexual. Mas um guru professa que ensina a própria arte de viver, e, dessa forma, suas crenças englobam em potencial todas as questões relevantes para o bem-estar de seus alunos. Com exceção da paternidade/maternidade, é provável que nenhuma relação humana ofereça maior escopo para benevolência ou abuso do que a do guru com seu discípulo. Sendo assim, não é de surpreender que as falhas éticas dos homens e das mulheres que assumem esse papel possam ser espetaculares e que constituam alguns dos maiores exemplos de hipocrisia e traição já vistos.

O problema da confiança se agrava porque pode ser difícil discernir a linha que separa a instrução válida do abuso. Dado que todo o propósito da relação de um devoto com um guru é conseguir que suas ilusões egocêntricas sejam expostas e solapadas, qualquer intrusão indesejada em sua vida se presta a ser justificada como um ensinamento.

> Toda vez que perguntavam sobre o Zen a Gutei Oshō, ele simplesmente erguia o dedo. Certa ocasião, um visitante perguntou ao

assistente de Gutei: "O que o seu mestre ensina?". O menino também ergueu o dedo. Ao saber disso, Gutei decepou o dedo do menino com uma faca. O garoto começou a correr, gritando de dor. Gutei o chamou e, quando o menino se virou, Gutei ergueu o dedo. O menino subitamente se tornou iluminado.[1]

Se decepar o dedo de uma criança pode ser considerado uma instrução compassiva, parece impossível predizer até onde um instrutor espiritual pode se afastar das normas éticas convencionais. Esse é, ao mesmo tempo, um problema teórico da literatura e um problema psicológico em muitas comunidades espirituais: as intuições morais e os instintos de autopreservação de um aluno podem sempre ser interpretados como sintomas de medo e apego. Em consequência, até o tratamento mais extraordinariamente cruel ou degradante nas mãos de um guru pode ser visto como algo voltado para o bem do estudante: *O mestre quer fazer sexo com você ou com seu cônjuge — por que você resistiria? Não vê que seu impulso de recusar uma oferta tão generosa se fundamenta na própria ilusão de separação que você deseja superar? Ah, você não gosta da ideia de dar 20% de sua renda para o ashram? Por que se apega tanto aos frutos do trabalho? Aliás, quanto vale a iluminação para você? Não gosta de limpar privadas e trabalhar no jardim durante horas? Considera-se superior a ponto de negar a realização de tais atos simples para o Divino? Não percebe que esse sentimento de importância é justo o que precisa ser abandonado antes que você reconheça sua verdadeira natureza? Sentiu-se humilhado quando o mestre lhe mandou que tirasse a roupa e dançasse nu diante de seus pais e do resto da congregação? Não vê que esse era só um espelho preparado para expor seu egocentrismo? Ah, não acha que um adepto iluminado se comportaria dessa maneira? Ora, o que o faz pensar que suas suposições tacanhas sobre a iluminação são verdadeiras?*

Dada a estrutura do jogo, não admira que muitas pessoas tenham sido prejudicadas pelo relacionamento com instrutores espirituais — ou que muitos instrutores, ao se verem com tanto poder sobre a vida dos outros, tenham cometido abusos. O terreno ético é ainda mais confuso porque não existe líder de culto enlouquecido ou sádico, ou que tenha caído em desgraça tão ignominiosamente, a ponto de que não seja possível encontrar adeptos para os quais ele seja o messias. É um espanto saber que ainda há pessoas neste planeta que acreditam que Jim Jones, David Koresh e Marshall Applewhite foram verdadeiros salvadores. Também se pode dizer com segurança que nenhum professor foi santo e impecável a ponto de que jamais alguém deixou sua companhia convencido de que ele era um lunático perigoso. Se cada guru fosse julgado pela pior coisa que já se disse a seu respeito, nenhum deles escaparia da forca.

É verdade, porém, que o papel de guru parece atrair um número desproporcional de homens narcisistas e embusteiros. Isso também pode ser uma consequência natural do tema. É impossível alguém fingir que é um ginasta experiente, um cientista espacial ou mesmo um cozinheiro competente, pelo menos por muito tempo. Mas pode-se fingir que se é um especialista iluminado. Os que são bem-sucedidos nisso costumam ser muito carismáticos, porque quem não sabe surpreender as pessoas não pode sobreviver por muito tempo no ramo. G. I. Gurdjieff é uma referência nessa arte, e talvez tenha sido o primeiro homem a voltar de viagens pelo Oriente e se estabelecer formalmente como um guru no Ocidente. Ele foi o exemplo clássico do charlatão talentoso. Conseguiu atrair um grupo de devotos inteligentes e bem-sucedidos, entre os quais o matemático francês Henri Poincaré, a pintora Georgia O'Keefe e os escritores J. B. Priestley, René Daumal e Katherine Mansfield. Ele influenciou também outros luminares, incluindo Aldous Huxley, T. S. Eliot e Gerald Heard, por meio de seu principal discípulo, P. D. Ouspensky. Frank Lloyd Wright declarou que Gurdjieff era "o maior homem do mundo".[2] Vindo de um narcisista como Wright, a frase diz muito sobre o tipo de impressão que o homem era capaz de causar.

Entretanto, Gurdjieff dizia a seus alunos que a Lua era viva, que ela controlava o pensamento e o comportamento dos não iluminados e lhes devorava a alma no momento da morte. Ele costumava fazer com que os visitantes de sua mansão em Fontainebleau passassem longos dias cavando valas ao sol — para tornarem a enchê-las em seguida e começarem a cavar em outro lugar. Sua personalidade devia causar uma impressão forte, visto que ele conseguiu levar a travessura adiante por um longo tempo. Tenho certeza de que se eu quisesse ensinar uma doutrina insana como a dele, exigindo o tempo todo sacrifícios dolorosos e inúteis de meus seguidores, não me restaria um único amigo no mundo passada uma semana.

Não digo que ser forçado a fazer um trabalho duro e aparentemente inútil não possa beneficiar uma pessoa. Pense nos SEALS dos fuzileiros navais americanos: para se tornar um deles, o candidato tem de passar por um curso de qualificação tão árduo que ele seria classificado como tortura se lhe fosse imposto contra a vontade. Trata-se de um processo seletivo que permite à Marinha dos Estados Unidos produzir a força de elite mais especial do mundo. Mas também é um processo seletivo *ruim* porque serve, antes de tudo, como um rito de passagem. Sabe-se, por exemplo, que alguns dos melhores recrutas do programa SEAL são eliminados por pura má sorte. Sofrem lesões demais para continuar o treinamento ou para sobreviver à "semana infernal" — cinco dias e meio em um purgatório de areia molhada, treinamento perigoso em barcos, calistenia, hipotermia e privação de sono. Mas os que terminam inteiros tiveram uma experiência de autossuperação desconhecida pela humanidade não pertencente à antiga Esparta — e podem ter certeza de que todos aqueles a quem irão servir em combate sobreviveram ao mesmo suplício.

Uma das primeiras coisas que se aprende ao praticar meditação é que nada é tedioso em si — na verdade, o tédio é simplesmente falta de atenção. Preste atenção o suficiente, e a mera experiência de respirar pode recompensar meses ou anos de vigilância constante. Todo guru sabe que o trabalho enfadonho pode ser um modo de testar a força dessa percepção. E nem é preciso dizer que essa verdade sobre a mente humana se presta a ser explorada. A jornalista Frances Fitzgerald relata ter encontrado muitos discípulos de Osho (Bhagwan Shree Rajneesh) com alto grau de instrução — médicos, advogados, engenheiros, professores universitários — que passaram anos fazendo trabalhos subalternos não remunerados na comuna desse guru no Oregon.[3] Todos pareciam felizes com o trabalho que provavelmente vivenciavam como um exercício de autossuperação. De fato, abandonar as ambições mundanas para fazer trabalhos humildes — com atenção e alegria — *pode* ser um exercício de autossuperação. Aqui duas verdades parecem colidir: a pessoa pode ser explorada e ainda assim pode aprender algo valioso no processo.

Mas é necessário ter limites, e acredito que o consentimento deve ser o princípio governante. Os SEALS em treinamento podem desistir a todo momento, e são continuamente incentivados a fazê-lo. A voz interior que diz que eles talvez não tenham o que é preciso para ser um SEAL é amplificada de modo deliberado pelos instrutores — muitas vezes ao megafone — para que os inaptos deixem o programa. É isso que distingue o treinamento SEAL da tortura. Em contraste, os cultos violam com frequência, de muitas maneiras, o princípio do consentimento. Não nego que um homem ou mulher iluminado de verdade — isto é, que compreendeu definitivamente o sentido de self convencional — possa despertar seus alunos violando certas normas morais ou culturais. Mas exemplos extremos de comportamentos não convencionais — que a literatura chama muitas vezes de "sabedoria louca" — parecem produzir os resultados desejados *apenas* na literatura. Cada exemplo moderno dessas charlatanices parece mais louco do que sábio e atesta, acima de tudo, as inseguranças e os desejos sensuais do guru em questão. Relatos antigos de violência libertadora, como na parábola zen acima, ou de exploração sexual iluminadora, parecem expedientes de ensino literário, e não narrativas precisas de como a sabedoria foi transmitida de modo confiável do mestre ao discípulo.

Em geral é fácil detectar problemas sociais e psicológicos em toda comunidade de aspirantes espirituais. Essa parece ser mais uma desvantagem inerente ao projeto de autotranscendência. Muita gente renuncia ao mundo porque não consegue encontrar nele um lugar satisfatório, e quase todo ensinamento espiritual pode ser usado para justificar uma falta de ambição patológica. Para alguém que ainda não foi bem-sucedido em nada e provavelmente teme o fracasso, uma doutrina que critica a busca pelo sucesso pode ser muito atraente. E a devoção a um guru — uma combinação de amor, gratidão, reverência e submissão — pode facilitar um retorno doentio à infância. De fato, a própria estrutura do relacionamento pode condenar um estudante a um tipo de escravidão intelectual e emocional. O escritor Peter Marin sintetizou com perfeição esse estado de espírito:

> Obediência a um "mestre perfeito". Dá para ouvi-los, em seu íntimo, contendo o fôlego para darem por fim um suspiro coletivo de alívio. Ser finalmente libertado, depor o fardo, voltar a ser criança — não na inocência reavivada, mas na dependência restaurada, na dependência indisfarçada, *admitida*. Voltar a receber ordens sobre

o que fazer e como fazer. [...] O anseio do público era tão palpável, sua carência tão intensa e óbvia, que era impossível não notá-lo, impossível não sentir alguma empatia por aquilo. Por que não, afinal de contas? É claro que existem verdades e tipos de sabedoria aos quais a maioria das pessoas não chegará sozinha; é claro que existem autoridades em questões do espírito, viajantes experientes, guias. Em alguma parte tem de haver verdades diferentes das decepcionantes que temos; em alguma parte tem de haver acesso a um mundo maior que este. E se, para chegar lá, precisamos pôr de lado toda a arrogância da vontade e do ego obstinado, por que não? Por que não admitir o que não sabemos e não podemos fazer e nos submetermos a alguém que sabe e faz, que nos ensinará se apenas deixarmos de lado por ora todo julgamento e obedecermos com confiança e boa vontade?[4]

Um relacionamento com um guru, ou, na verdade, com qualquer especialista, tende a seguir linhas autoritárias. Você não sabe o que precisa saber, e se presume que o especialista saiba; é por isso, afinal, que você está sentado diante dele. A hierarquia implícita é inevitável. A qualidade contemplativa existe, e um especialista contemplativo é alguém que pode ajudá-lo a perceber certas verdades sobre a natureza da sua própria mente.

Infelizmente, a ligação entre autotranscendência e comportamento moral não é tão direta quanto gostaríamos. Parece possível que pessoas tenham genuínos insights espirituais e a capacidade de provocá-los em outros, mas que ao mesmo tempo tenham defeitos morais graves. Nem sempre é preciso chamar esses indivíduos de "embusteiros": eles não estão necessariamente *fingindo* que têm insights espirituais ou que são capazes de produzir essa experiência em outros. Mas, dependendo do nível de sua prática, seus insights podem ser um antídoto insuficiente para o resto de sua personalidade. Os problemas resultantes podem ser acentuados por diferenças culturais. Por exemplo, qual é a idade do consentimento para as relações sexuais? As respostas não serão necessariamente as mesmas em Bombaim e Boston. Certas escolas do budismo pregam em um grau extraordinário que devemos ter compaixão e bondade e não prejudicar os outros, e isso oferece alguma proteção contra abusos de poder. Mas mesmo nelas se pode encontrar um mestre venerado com os instintos éticos de um pirata.

Vejamos o caso do falecido lama tibetano Chögyam Trungpa Rinpoche, que foi um professor inspirado mas também um mulherengo e um bêbado violento ocasional. Por ser o guru de Allen Ginsberg, Trungpa atraiu para sua órbita muitos dos mais talentosos poetas americanos. Certa ocasião, em uma festa de Halloween para alunos veteranos — na qual eram convidados W. S. Merwin, o futuro poeta laureado* dos Estados Unidos, e sua namorada, a poeta Dana Naone —, Trungpa ordenou a seus guarda-costas que desnudassem à força uma mulher de sessenta anos e a carregassem pela sala de meditação. Isso incomodou Merwin e Naone, e eles acharam melhor voltar para o quarto pelo resto da noite. Trungpa notou a ausência deles e pediu a um grupo de devotos que encontrassem os poetas e os trouxessem de volta à festa. Quando Merwin e Naone se recusaram a abrir a porta, Trungpa ordenou a seus discípulos que a arrombassem. A entrada forçada resultante gerou um caos — no qual Merwin, que na época era famoso por seu pacifismo, lutou contra seus atacantes empunhando uma garrafa de cerveja quebrada e feriu muitos deles no rosto e nos braços. A visão do sangue e o horror por suas próprias ações aparentemente derrubaram as defesas de Merwin, e ele e Naone enfim se deixaram capturar e foram levados perante o guru.

* Nos Estados Unidos e em alguns outros países, o "poeta laureado" [*poet laureate*] é nomeado oficialmente para compor poemas para ocasiões especiais. (N. T.)

Trungpa, àquela altura muito embriagado, criticou o casal por seu egocentrismo e exigiu que os dois tirassem as roupas. Eles se recusaram, e Trungpa mandou que seus guarda-costas os despissem. Todos os relatos dizem que Naone ficou histérica e implorou que alguém na multidão que assistia chamasse a polícia. Um estudante tentou intervir fisicamente. Trungpa em pessoa esmurrou o bom samaritano no rosto e ordenou a seus guardas que tirassem o sujeito da sala.

Como era previsível, muitos dos alunos de Trungpa viram o ataque a Merwin e Naone como um ensinamento espiritual profundo destinado a subjugar seus egos. Ginsberg, que não estivera presente na ocasião, fez a seguinte avaliação em uma entrevista: "No meio daquela cena, berrar 'chamem a polícia' — você percebe a *vulgaridade* de uma coisa dessas? A sabedoria do Oriente estava sendo revelada, e ela diz 'chamem a polícia'! Porra! Foda-se! Tirem a roupa deles, arrombem a porta!".[5] Exceto por ter produzido uma perfeita joia da confusão moral hippie, Ginsberg expôs o enigma no âmago da relação tradicional guru-devoto. Sem dúvida, a preferência de Merwin e Naone por não dançarem nus em público tinha muita relação com seu apego à privacidade e à autonomia. E não é *inconcebível* que um guru pudesse agir daquele modo coercivo e aético por compaixão. Isso pode até ter sido concebível para Merwin e Naone, mesmo depois de sua provação humilhante, já que permaneceram no seminário de Trungpa durante vários dias para receber mais ensinamentos. No entanto, a julgar pelo efeito que o comportamento desenfreado de Trungpa teve sobre o próprio guru (que aparentemente morreu de alcoolismo) e seus alunos, é muito difícil ver tal conduta como produto de sabedoria iluminada.

Os escândalos em torno da organização de Trungpa não acabam por aí. Trungpa preparara um estudante ocidental, Ösel Tendzin, para ser seu sucessor. Tendzin foi o primeiro ocidental a ser honrado desse modo em qualquer linhagem do budismo tibetano. Sua nomeação como "Regente Vajra" tinha sido aprovada pelo Karmapa, um dos mais reverenciados mestres tibetanos da época. Acontece que Tendzin era bissexual, altamente promíscuo e muito dado a pressionar seus devotos heterossexuais do sexo masculino a fazer sexo com ele como forma de iniciação espiritual. Mais tarde, ele contraiu HIV, mas continuou a fazer sexo sem proteção com mais de cem homens e mulheres sem informá-los de sua condição. Trungpa e diversas pessoas da diretoria da organização sabiam que o regente estava doente, e tudo fizeram para que isso fosse mantido em segredo. Quando o escândalo veio a público, Tendzin declarou que Trungpa lhe garantira que ele não poderia fazer mal a ninguém desde que prosseguisse em sua prática espiritual. Pelo visto, o vírus em seu sangue não queria saber se ele se dedicava ou não à prática espiritual. No mínimo uma de suas vítimas morreu de aids e transmitiu o HIV a outras pessoas.

O que encontramos em uma pessoa como Trungpa é uma mente impressionantemente livre de vergonha. Isso pode ser bom, desde que a pessoa se preocupe com o bem-estar dos outros. Mas a vergonha desempenha uma função social determinante: ela impede que nos comportemos como animais selvagens. Acreditar na própria iluminação perfeita é como dirigir um carro sem freios — não é um problema desde que você nunca precise parar ou desacelerar, mas afora isso é uma ideia terrível. A crença de que ele podia viver para além das restrições da moralidade convencional é explicitada no ensinamento de Trungpa:

> [Moralidade] ou disciplina não é uma questão de se ficar atrelado a um conjunto fixo de leis ou padrões. Pois um bodhisattva é totalmente desprovido de self, uma pessoa completamente aberta, por isso ele age de acordo com a abertura [e] não precisa seguir regras; ele apenas se encaixará nos padrões. É impossível ao bo-

dhisattva destruir pessoas ou lhes fazer mal, porque ele encarna a generosidade transcendental. Ele se abriu por completo, por isso não discrimina entre *isto* e *aquilo*. Ele apenas age de acordo com o que é. [...] Se formos completamente abertos, sem nos vigiar, sendo de todo abertos e nos comunicando com as situações como elas são, a ação é pura, absoluta, superior. [...] Uma metáfora muito usada diz que a conduta do bodhisattva é como o andar de um elefante. Elefantes não se apressam; andam devagar e com segurança pela selva, um passo após o outro. Apenas avançam com serenidade. Não caem nem cometem erros.[6]

O estado de liberdade e boa vontade espontânea que Trungpa descreve aqui corresponde, sem dúvida, a uma experiência que certas pessoas têm e a uma percepção (verdadeira ou não) que outros podem adquirir sobre elas. Mas compaixão ilimitada é uma coisa, infalibilidade é outra. A ideia de que alguém é incapaz de cometer erros traz preocupações éticas óbvias, independentemente do nível de realização da pessoa. Quem já estudou a difusão da espiritualidade oriental pelo Ocidente sabe que esses elefantes frequentemente tropeçam — e até desembestam —, machucando a si mesmos e a muitos outros no processo.

Os olhos de uma pessoa transmitem uma poderosa ilusão de vida interior. A ilusão é verdadeira, mas ainda assim é uma ilusão. Quando olhamos nos olhos de outro ser humano, parece que eles nos irradiam a luz da consciência — uma centelha de alegria ou de julgamento, talvez. Mas cada inflexão de humor ou de personalidade — e até a indicação mais básica de que a pessoa está viva — provém não dos olhos, mas dos músculos faciais circundantes. Se os olhos da pessoa parecem anuviados pela loucura ou fadiga, a culpa é dos músculos orbiculares do olho. E se a pessoa parece irradiar uma sabedoria imemorial, o efeito não provém dos olhos, mas do que ela faz com eles. Ainda assim, é uma ilusão poderosa, e não há dúvida de que a experiência subjetiva do brilho interior pode ser comunicada com o olhar.

Assim, não é por acaso que os gurus costumam fazer questão de manter contato visual. Na melhor das hipóteses, esse comportamento emerge da satisfação genuína na presença de outras pessoas e de um profundo interesse no bem-estar delas. Diante desse estado de espírito, pode não haver razão alguma para se olhar para outro lugar. Mas manter contato visual também pode se tornar um modo de "representar espiritualidade" e, portanto, ser uma afetação intrusiva. Também há pessoas que fitam nos olhos rigidamente não porque têm uma atitude de franqueza e interesse, ou porque tentam parecer francas e interessadas, mas como uma demonstração agressiva e narcisista de dominância. Os psicopatas são excepcionalmente bons em manter contato visual.

Seja qual for o motivo, um olhar que não vacila pode ter um poder imenso. A maioria dos leitores saberá do que estou falando, mas se você quiser ver um glorioso exemplo da grandiosidade assertiva que os olhos podem transmitir, assista a algumas entrevistas com Osho. Nunca o encontrei, mas conheci pessoalmente muitas pessoas como ele. E o modo como ele faz o jogo do contato visual é hilário.[7]

Confesso que houve um período em minha vida, logo depois de mergulhar em questões espirituais, em que me tornei um chato nesse aspecto. Onde quer que eu estivesse, por mais superficial que fosse o diálogo, eu fitava os olhos de todo mundo que encontrava como se a pessoa fosse um amor perdido há muito tempo. Sem dúvida muita gente achava isso arrepiante. Outros o consideravam pura provocação. Por outro lado, essa atitude também precipitou conversas fascinantes com estranhos. De quando em quando, pessoas de ambos os sexos ficavam fascinadas por mim só por causa de uma conversa. Se eu estivesse vendendo alguma filosofia consoladora e quisesse aliciar adeptos, desconfio que conseguiria fazer um belo estrago. Sem dúvida, vislumbrei o caminho que muitos impostores espirituais têm seguido ao longo da história.

Um fato interessante é que, quando funcionamos desse modo, rapidamente reconhecemos qualquer um que faça o mesmo jogo. Passei por muitas ocasiões em que meu olhar encontrava o de alguém do outro lado da sala e de repente estávamos jogando Guerra dos Warlocks: dois estranhos sustentando o olhar um do outro muito além do ponto em que nossos genes primatas ou o condicionamento cultural costuma suportar. Faça esse jogo por um tempo suficiente e você começará a ter encontros bem estranhos.

Não me recordo de ter parado conscientemente de me comportar desse modo, mas parei. No entanto, vale a pena prestar atenção no tipo de contato visual que uma pessoa faz. Como já observei, o incômodo que sentimos ao encontrar o olhar de alguém parece apenas uma ramificação do próprio sentimento de ser um eu. Por essa razão, a meditação de olhos abertos com outra pessoa pode ser uma prática poderosíssima. Quando vencemos a resistência de fitar os olhos de alguém, a ausência de autoconsciência pode ser especialmente vívida.

Meditação do contato visual

1. Sente-se defronte ao parceiro e simplesmente fitem-se nos olhos. (Dependendo da distância, talvez você precise escolher um dos olhos para enfocar.)
2. Continuem a se fitar nos olhos, sem falar.
3. Ignorem os risos e outros sinais de desconforto.

Essa prática pode ser combinada às outras técnicas descritas neste livro, em particular com a atenção na respiração e o exame da "ausência de cabeça" proposto por Douglas Harding.

Pode ser deprimente testemunhar as desventuras de adeptos supostamente iluminados e seus devotos. Mas também pode ser divertido. Escrevi sobre um caso assim em meu primeiro livro, *A morte da fé:*

> Conheço um grupo de veteranos na busca da espiritualidade que, depois de passar meses procurando por um mestre entre as cavernas e os vales do Himalaia, encontrou finalmente um iogue hindu que parecia qualificado para liderá-los no caminho para o éter. Ele era magro como Jesus Cristo, ágil como um orangotango e tinha o cabelo todo emaranhado, até os joelhos. Eles logo trouxeram esse prodígio para a América, para instruí-los nos caminhos da devoção espiritual. Após um período adequado de aculturação, nosso asceta — por sinal, também admirado por sua beleza física e pela maneira como tocava tambor — decidiu que fazer sexo com a mais bela das esposas dos seus patronos se adequaria admiravelmente aos seus propósitos pedagógicos. Essas relações se iniciaram de imediato, e continuaram por algum tempo, toleradas por um homem cuja devoção à esposa e ao guru, verdade seja dita, foi penosamente testada. Sua esposa, se não me engano, participava com entusiasmo desse exercício "tântrico", pois seu guru, além de "plenamente iluminado", era um amante tão garboso como o próprio deus Krishna. Aos poucos, esse santo homem refinou suas necessidades espirituais, assim como seu apetite. Logo chegou o dia em que ele não ingeria mais nada no desjejum que não fosse meio litro de sorvete Häagen-Dazs de baunilha com cobertura de castanha-de-caju. Podemos imaginar que as meditações de um marido traído, perambulando pelos corredores dos congelados no supermercado, à procura da refeição iluminada daquele homem iluminado, fossem tudo menos devotas. O guru foi logo mandado de volta para a Índia, com seu tamborzinho.[8]

Sorvete no café da manhã. Isso pode nos dizer tudo o que precisamos saber. No entanto, não há como fugir do fato de que, nas questões espirituais, assim como em todas as outras, temos de buscar instrução junto àqueles que consideramos mais conhecedores do que nós, e os sinais de conhecimento nem sempre são claros. No campo da espiritualidade, o assunto e a aparente distância entre professor e aluno parecem criar as condições perfeitas para o autoengano — e, com isso, para a confiança imerecida e explorada. É possível, porém, com um pouco de sorte e discernimento, contornar esses problemas e receber ensinamentos de quem é mais sábio e mais experiente do que nós na área.

Exporei meu próprio caso como um exemplo não de todo incomum. Na casa dos vinte anos, estudei com muitos professores que atuavam como gurus no sentido tradicional, mas nunca tive com nenhum deles um relacionamento que, em retrospectiva, eu considere embaraçoso ou que eu não recomendasse na época a outras pessoas. Não sei se devo atribuí-lo à sorte ou ao fato de que havia um limite para a devoção que nunca me senti tentado a transpor. Tradicionalmente, recomenda-se que vejamos nosso guru como perfeito. Confesso que nunca fui capaz de levar a sério esse conselho, exceto no sentido trivial de que a própria consciência pode ser considerada perfeita de certa maneira, ou de que uma realização perfeita de sua liberdade intrínseca pode ser possível. Apesar de muitos dos meus professores serem impressionantes, eles eram sem dúvida humanos e suscetíveis aos mesmos vieses culturais e enfermidades físicas que definem a vida das pessoas comuns.

Quando chegou a hora de Poonja-ji fazer o casamento de sua sobrinha, por exemplo, não lhe ocorreu nada mais iluminado do que publicar a foto dela na seção de encontros do jornal local, depois de pagar a um fotógrafo para clarear a cor da pele da moça em vários tons. Essa era, na época, uma prática onipresente na

Índia e considerada normal. Para mim, no entanto, era enganosa, aviltante e explicitava a intolerância contra pessoas de pele escura. Só pude concluir que ou a iluminação não fora capaz de limpar a mente de resíduos culturais ou que Poonja-ji ainda não alcançara a iluminação plena. Fosse como fosse, eu não via sua solução para o problema do casamento como "perfeita".

Entre os gurus que conheci pessoalmente e aqueles cujas carreiras e ensinamentos estudei à distância, havia desde charlatães que podiam ser logo descartados até professores brilhantes, mas com falhas, e outros que, embora ainda humanos, pareciam dotados de tanta compaixão e clareza mental que eram exemplos quase impecáveis dos benefícios da prática espiritual. Esse último grupo obviamente nos interessa, e ele é composto, sem dúvida, de pessoas que desejamos encontrar; mas o grupo do meio também pode ser útil. Alguns professores sobre os quais se contam histórias desalentadoras — homens e mulheres cujos desatinos parecem desacreditar o próprio conceito de autoridade espiritual — são, na verdade, contemplativos talentosos. Muitas dessas pessoas acabam corrompidas pelo poder e as oportunidades que advêm do fato de inspirarem devoção em outros. Alguns podem começar a crer nos mitos que crescem em torno deles, e alguns cometem exageros ridículos sobre sua própria importância espiritual e histórica. *Caveat emptor.**

Obviamente, pode haver indicações claras de que não vale a pena prestar atenção a um dado professor. Um histórico de fabulista ou charlatão deve ser considerado fatal; assim, as opiniões espirituais de Joseph Smith, Gurdjieff e L. Ron Hubbard podem ser ignoradas com segurança. Fetiche por números também é um sinal ameaçador. A matemática é mágica, mas a matemática usada *como* mágica não passa de superstição — e a numerologia é

* "Cuidado, comprador", em latim. (N. T.)

onde morre o intelecto. A profecia também é uma fortíssima indicação de trapaça ou de loucura do professor, e de estupidez dos alunos. É possível extrapolar a partir de dados científicos ou tendências tecnológicas (modelos climáticos, lei de Moore), mas predições mais detalhadas sobre o futuro são constrangimentos instantâneos. Quem quer que seja capaz de dizer a você, com confiança, como será o mundo em 2027 está delirando. A canalização de entidades invisíveis, sejam transmitidas do além-túmulo ou de outra galáxia, deve provocar apenas riso. J. Z. Knight, que há tempos se diz porta-voz de uma entidade de 35 mil anos chamada Ramtha, é o supremo exemplo de como você não quer que seja seu professor. E toda sugestão de que um guru influenciou eventos mundiais por meio de magia também deve pôr fim à conversa. Parece que Sri Aurobindo e sua parceira, conhecida como "a Mãe", afirmaram ter decidido o resultado da Segunda Guerra Mundial com seus poderes psíquicos.[9] (Nesse caso, por que será que não foram considerados moralmente responsáveis por não terem feito que ela terminasse antes?) Mais uma razão para não ler os longos e ilegíveis livros de Aurobindo.

De modo geral, devemos sair porta afora ao primeiro sinal de logro por parte de um professor. É certo que podemos desejar fazer algumas concessões a diferenças culturais e à inocuidade da mentira. Certa ocasião, um mestre Dzogchen de grande renome — uma das pessoas mais inspiradoras que já conheci — declarou que um determinado dia do nosso retiro seria dedicado à austeridade vegetariana (o que, do ponto de vista tibetano, é um verdadeiro sacrifício). Depois do almoço, entrei na sala dele e o apanhei em flagrante delito, comendo às escondidas um bife embalado em papel-alumínio. Assim que me viu, o endiabrado lama fez da carne uma bola embrulhada no papel-alumínio e a arremessou para sua mulher como um ala fazendo um passe lateral no basquete. A mulher, por sua vez, arremessou a bola, que caiu com um baque úmido nas costas de um armário do outro lado da sala. Nem é preciso dizer que todos rimos muito com essas maquinações, e que esse não é o tipo de logro que parece calculado para manipular alunos ou elevar falsamente o status do professor. Aliás, esse professor não se exaltava — uma qualidade que pode compensar muitos outros defeitos.

Nunca encontrei um professor espiritual que eu considerasse plenamente iluminado no sentido que muitos budistas e hindus imaginam que seja possível, isto é, sempre livre da ilusão do self e dotado de clarividência e outros poderes milagrosos. Embora eu continue receptivo a evidências de fenômenos "psi"* — clarividência, telepatia etc. —, o fato de não terem sido demonstrados de modo conclusivo em laboratório é uma indicação fortíssima de que não existem. Os pesquisadores que estudam essas coisas alegam que os dados existem e que podemos ver provas dos fenômenos em desvios aleatórios que ocorrem em milhares de experimentos.[10] Mas as pessoas que acreditam que seu guru possui poderes supernormais não pensam em efeitos estatísticos pouco consistentes. Elas creem que determinada pessoa é capaz de ler a mente, de curar doentes e de fazer outros milagres. Ainda não vi nenhum caso em que se apresentasse uma prova dessas capacidades de modo digno de crédito. Se uma pessoa no mundo possuísse poderes psíquicos num grau significativo, esse seria um dos fatos mais simples de se comprovar em laboratório. Muita gente é enganada por evasivas tradicionais nessa questão; costuma-se alegar, por exemplo, que demonstrar os poderes só para comprová-los seria espiritualmente impróprio e que até mesmo desejar ver essas provas empíricas é um sinal insultante de dúvida por parte de um aluno. *Se porventura não virdes sinais e prodígios, de modo nenhum crereis* (João 4,48). Uma vida inteira de tolices e autoengano aguarda quem cair no blefe.

* Como se designa o conjunto de funções parapsicológicas da mente. (N. T.)

Mas não precisamos acreditar em poderes psíquicos para cortar a ilusão do self. Fazê-lo já pode ser suficientemente difícil. Se eu conheci alguém que já o tenha feito com perfeição, não sei. Estudei com várias pessoas que supostamente haviam alcançado a plena iluminação nesse sentido, e mesmo com algumas que o declaravam sem rodeios. Porém, até onde posso discernir, isso não acrescentava nada de valor aos seus ensinamentos e, ainda por cima, introduzia uma perturbadora nota de grandiosidade às conversas. Seja ou não possível que alguém tenha uma experiência permanente de autotranscendência, a convicção de um aluno de que seu professor é plenamente iluminado parece supérflua — e, de todo modo, costuma ser posta em dúvida por qualquer coisa tola que o professor disser ou fizer.

Repito, a meu ver, não se deve dar importância demais às falhas de professores espirituais específicos ou às patologias encontradas entre seus seguidores, como se esses erros constrangedores desacreditassem em princípio a relação guru-discípulo. Podemos fazer aqui uma boa analogia com o casamento: exemplos de uniões ruins, ou pelo menos inviáveis, são vistos em toda parte, e poucos casamentos parecem estar à altura da promessa dessa instituição. Ao se ater apenas a cenas de infelicidade doméstica, pode-se concluir com facilidade que a própria ideia de casamento é falha e que os seres humanos deveriam encontrar um modo melhor de se organizar e criar os filhos. Creio que a conclusão seria precipitada. Embora eu ainda não tenha encontrado uma comunidade espiritual à qual pareça valer a pena me filiar, e ainda que seja facílimo detectar sinais de problemas, conheço muita gente que aprendeu bastante passando longos períodos em companhia de um ou outro professor espiritual. Da minha parte, aprendi coisas indispensáveis.

Tudo isso pode gerar o receio de que o ideal da iluminação seja falso. A verdadeira liberdade é mesmo possível? Com certeza é, em um sentido momentâneo, como qualquer praticante de meditação maduro sabe, e esses momentos podem ser maiores em número e em duração com a prática. Portanto, não vejo por que alguém não poderia banir com perfeição a ilusão do self. Mas só a habilidade de meditar — descansar enquanto consciência por alguns momentos antes que o próximo pensamento surja — pode trazer um imenso alívio para o sofrimento mental. Não precisamos chegar ao fim do caminho para experimentar os benefícios de percorrê-lo.

A MENTE NO LIMIAR DA MORTE

Não se consegue avançar muito em círculos espirituais sem encontrar pessoas fascinadas pela "experiência de quase morte" (EQM). O fenômeno foi descrito assim:

> Entre as características que recorrem com frequência estão sentimentos de paz e alegria; a sensação de se estar fora do corpo, assistindo ao que acontece ao redor e, às vezes, em algum local físico distante; cessação da dor; visão de um túnel escuro ou do vazio; visão de uma luz excepcionalmente brilhante, às vezes vivenciada como um "Ser de Luz" que irradia amor e pode falar ou se comunicar de outro modo com a pessoa; encontrar outros seres, muitas vezes falecidos, que a pessoa reconhece; experiência de um reavivamento de memórias ou mesmo uma recordação completa da vida, às vezes acompanhada por sentimentos de julgamento; visão de algum "outro reino", muitas vezes de grande beleza; sentimento de uma barreira ou fronteira além da qual a pessoa não pode ir; e retorno ao corpo, em geral com relutância.[11]

Relatos assim levam muita gente a acreditar que a consciência tem de ser independente do cérebro. No entanto, essas experiências variam em diferentes culturas, e nenhuma característica, considerada individualmente, é comum a todas. Seria de se supor que, se uma esfera não física estivesse realmente sendo explorada, algumas características universais se destacassem. Hindus e cristãos não discordariam substancialmente — e com certeza não seria de se esperar que o estado de pós-morte divergisse entre os indianos meridionais e os setentrionais, como foi relatado.[12] Os entusiastas das EQM também deveriam se incomodar com o fato de que apenas 10% a 20% das pessoas que chegam ao limiar da morte clínica se recordam de ter tido algum tipo de experiência.[13]

Mas o problema mais fundamental em se tirar conclusões abrangentes das EQM é o fato de que as pessoas que as tiveram e falaram sobre elas *não morreram*. Aliás, muitas delas parecem que não correram perigo de morrer de verdade. E os que relataram ter deixado o corpo durante uma verdadeira emergência médica — depois de uma parada cardíaca, por exemplo — não sofreram perda total da atividade cerebral. Mesmo em casos onde se afirma que o cérebro parou, sua atividade tem de retornar para que o sujeito sobreviva e descreva a experiência. Nesses casos, em geral não existe nenhum modo de estabelecer se a EQM ocorreu enquanto o cérebro estava desligado.

Muitos estudiosos da EQM afirmam que certas pessoas deixaram o corpo e perceberam a comoção a seu redor durante sua quase morte: os esforços da equipe médica para ressuscitá-las, detalhes da cirurgia, o pesar da família. Alguns sujeitos dizem até que, enquanto estavam fora do corpo, ficaram sabendo de fatos que de outro modo não poderiam ter sabido — por exemplo, um segredo contado por um parente morto, cuja veracidade foi confirmada depois. Relatos desse tipo parecem particularmente vulneráveis ao autoengano, quando não à fraude deliberada. Há, porém, outro problema: mesmo se fossem verdadeiros, tais fenômenos poderiam sugerir apenas que a mente humana tem poderes de percepção extrassensorial (clarividência ou telepatia, por exemplo). Ela já seria uma descoberta espantosa, mas não demonstraria que se sobrevive à morte. Por quê? Porque, a menos que possamos saber que o cérebro do sujeito não estava funcionando quando as impressões se formaram, o envolvimento do cérebro tem de ser presumido.[14]

Para se estabelecer a independência entre mente e cérebro, teria de haver um caso no qual uma pessoa tivesse uma experiência — de qualquer coisa — sem atividade cerebral associada. De quando em quando, alguém afirma que uma EQM específica satisfaz esse critério. Um dos casos mais célebres da literatura envolve uma mulher, Pam Reynolds, que foi submetida a um procedimento denominado "parada cardíaca hipotérmica", no qual a temperatura interna de seu corpo foi rebaixada para 15,6 ºC, seu coração foi parado e o fluxo de sangue para seu cérebro foi suspenso para permitir o reparo de um grande aneurisma na artéria basilar. Reynolds relatou ter tido uma EQM clássica, inclusive com a percepção dos detalhes da cirurgia.

Mas a história contém vários problemas. Os acontecimentos no mundo que Reynolds diz ter testemunhado durante sua EQM ocorreram ou antes de ela estar "clinicamente morta" ou depois de a circulação sanguínea ter se restabelecido em seu cérebro. Em outras palavras, apesar dos extraordinários detalhes do procedimento, temos todas as razões para acreditar que o cérebro de Reynolds funcionava quando ela teve as experiências. Além disso, seu caso só foi publicado vários anos depois do ocorrido, e seu autor, o doutor Michael Sabom, é um cristão renascido que trabalhava havia décadas para comprovar a importância da EQM para a tese da vida no além-túmulo. A possibilidade de que o viés do experimentador, a corrupção da testemunha (ainda que inconsciente) e as falsas memórias tenham se introduzido nesse que é o melhor de todos os casos registrados é dolorosamente óbvia.

* * *

A mais recente EQM a receber ampla cobertura foi noticiada na capa da revista *Newsweek:* "Heaven is Real: A Doctor's Experience of the Afterlife".* A grande novidade nesse caso é que o protagonista, Eben Alexander, é um neurocirurgião que, poderíamos presumir, teria competência para julgar a importância científica de sua experiência. Alexander também escreveu um livro, *Uma prova do céu: a jornada de um neurocirurgião à vida após a morte*, que instantaneamente se tornou um best-seller. Aliás, ele tomou o lugar de um dos livros mais vendidos da década passada, *O céu é de verdade: A história de um menino que foi ao céu e viu o trono de Deus,* outro relato de vida após a morte baseado nas aventuras durante a quase morte de um menino de quatro anos, filho de um ministro. Como seria de se esperar, os dois livros apresentam visões incompatíveis do que nos espera fora da prisão do cérebro. (Apesar de muito pitoresco, no relato Alexander não se lembrou de nos contar que Jesus monta um cavalo que tem as cores do arco-íris e que as almas das crianças mortas ainda têm de fazer a lição de casa no céu.) Na época em que escrevo este texto, o livro de Alexander está em primeiro lugar na lista de livros de bolso do *New York Times,* lugar que ocupa há 56 semanas. O psicólogo Raymond Moody, que cunhou a expressão "experiência de quase morte", declarou que o relato de Alexander é "o mais assombroso que já ouvi em mais de quatro décadas estudando esse fenômeno. [Ele] é a prova viva de que há vida após a morte".[15] Portanto, leitor, prepare-se para se assombrar.

Era uma vez um neurocirurgião chamado Eben Alexander, que contraiu uma meningite bacteriana grave e entrou em coma. Imóvel em seu leito no hospital, ele teve visões de uma beleza tão

* "O céu é real: experiência de um médico na vida após a morte." (N. T.)

intensa que mudaram tudo, não só para ele, mas para a ciência. Segundo Alexander, sua experiência prova que a consciência é independente do cérebro, que a morte é uma ilusão e que o céu existe — completo, com seus anjos, nuvens e parentes mortos habituais, e acrescido de borboletas e moças bonitas em traje de camponesa. Nossa compreensão atual da mente "agora jaz em ruínas aos nossos pés", pois, declara Alexander, "o que me aconteceu a destruiu, e pretendo passar o resto da vida investigando a verdadeira natureza da consciência e deixando o mais claro possível, tanto para meus colegas cientistas como para o público em geral, que somos mais, muito mais do que o nosso cérebro físico".[16]

Como os capítulos precedentes devem ter deixado claro, eu continuo agnóstico na questão de como a consciência se relaciona com o mundo físico, ao contrário de muitos cientistas e filósofos. Há boas razões para crermos que ela é, tanto quanto o resto da mente humana, uma propriedade que surge da atividade cerebral. Mas não sabemos nada acerca de como poderia ocorrer um milagre de aparição da consciência. E se a consciência fosse irredutível — ou até separada do cérebro de um modo que contentaria Santo Agostinho — minha visão do mundo não seria subvertida. Sei que não entendemos a consciência, e nada do que penso saber sobre o cosmo ou da patente falsidade da maioria das crenças religiosas requer que eu a negue. Portanto, embora eu seja um ateu de quem se pode esperar uma atitude crítica aos dogmas religiosos, não tenho uma hostilidade reflexa a afirmações nas linhas das de Alexander. Em princípio, tenho a mente aberta. (De verdade.)

Acontece, porém, que quase nada no relato de Alexander resiste a uma análise cuidadosa — fato que é especialmente insidioso, uma vez que ele se diz cientista. Muitos de seus erros são gritantes, porém sem importância. Em seu livro, por exemplo, ele subestima em dez vezes o número de neurônios do cérebro humano. Outros erros deitam por terra o seu argumento. Sejam quais forem as suas qualificações formais, a evangelização de Alexander sobre sua experiência em coma é tão desprovida de sobriedade intelectual, sem falar de rigor, que eu não veria razão para tratar dela não fosse pelo fato de que milhões de pessoas leram seu livro e acreditaram nele. Um dos maiores obstáculos que vejo para estruturarmos uma abordagem racional da espiritualidade é a existência de superstição religiosa e de autoengano disfarçados de ciência. Por isso, vale a pena examinar em detalhes o caso de Alexander.

Primeiro, vemos alguns sinais perturbadores de que o bom doutor é apenas mais uma vítima do cristianismo em estilo americano, porque embora afirme que antes de sua aventura em coma não era crente, ele faz o seguinte autorretrato:

> Embora me considerasse um cristão fiel, eu o era mais de nome do que por uma crença verdadeira. Eu não relutava em aceitar a opinião de quem quisesse acreditar que Jesus era mais que apenas um bom homem que sofrera nas mãos do mundo. Eu simpatizava profundamente com quem desejava crer que havia um Deus em algum lugar que nos amava incondicionalmente. Chegava a invejar, naquelas pessoas, a segurança que sem dúvida tais crenças proporcionavam. Porém, como cientista, eu sabia que não era possível acreditar naquilo.

O que significa ser um "cristão fiel" sem uma "verdadeira crença" ele não explica, mas poucos não crentes se surpreenderão com o fato de que o ceticismo científico do nosso herói não era páreo para seu condicionamento religioso. A maioria de nós já viveu o suficiente para saber que muitos "ex-ateus", como Francis Collins, passaram tanto tempo no limiar da fé e ansiaram por suas consolações emocionais com uma intensidade tão vampiresca que a menor brisa os empurraria para o abismo. Para Collins, como talvez o leitor se lembre, tudo o que foi preciso para estabelecer a divindade de Jesus e a futura ressurreição dos mortos foi a visão de uma cachoeira congelada. Alexander, veremos adiante, parece ter precisado de uma carona em uma borboleta psicodélica. Em qualquer um desses casos, não é a percepção da beleza que deve nos incomodar, e sim a total ausência de seriedade intelectual com que o autor a interpreta.

Tudo no relato de Alexander se baseia em sua afirmação repetida e infundada de que suas visões do céu ocorreram enquanto seu córtex cerebral estava "desligado", "desativado", "completamente desativado", "totalmente off-line" e "desacordado ao ponto da total inatividade". Ele diz que a cessação da atividade cortical era "clara, considerando a gravidade e duração da meningite e o envolvimento global do córtex documentado em tomografias computadorizadas e exames neurológicos". Para seus editores, isso deve ter soado como ciência.

Infelizmente, as evidências apresentadas por Alexander — no artigo, em uma resposta subsequente à minha crítica pública ao texto, em seu livro e em numerosas entrevistas — sugerem que ele não sabe o que constituiria uma prova decisiva de sua afirmação fundamental da inatividade cortical. A prova que ele apresenta é falaciosa (tomografias computadorizadas não medem atividade cerebral) ou irrelevante (não importa, nem marginalmente, que sua meningite tenha sido "astronomicamente rara"). E nenhuma combinação de falácia e irrelevância resulta em ciência séria. Alexander não faz referências a dados funcionais que poderiam ter sido obtidos por exames de ressonância magnética funcional, PET ou eletroencefalograma. Tampouco parece perceber que esses são os tipos de evidências necessárias para corroborar sua argumentação. O impedimento para levar a sério as afirmações de Alexander pode ser expresso em palavras simples: *não há razão para acreditar que seu córtex cerebral estava inativo durante sua experiência de vida pós-morte.* O fato de ele pensar que demonstrou o contrário — enfatizando continuamente o quanto ele estava doente, a baixa frequência de casos de meningite por *E. coli* e o assustador aspecto de sua primeira tomografia computadorizada — mostra que ele deliberadamente desconsiderou a interpretação mais plausível de sua experiência.

Parece que nesse momento o córtex de Alexander funciona — afinal, ele escreveu um livro —, portanto, qualquer dano estrutural mostrado pela tomografia não poderia ter sido "global". Do contrário, ele estaria fazendo a insana afirmação de que todo o seu córtex foi destruído e depois tornou a crescer. Seja como for, o coma não é associado à cessação completa da atividade cortical. De fato, estudos de neuroimagem mostram que pacientes comatosos (como os que estão sob efeito de anestesia geral) apresentam de 50% a 70% do nível normal de atividade cortical.[17] E, ao que eu saiba, quase ninguém pensa que a consciência é somente uma questão do que se passa no córtex.

Como é que Alexander não sabe dessas coisas? Afinal de contas, ele é um neurocirurgião que declara estar subvertendo a visão científica de mundo com base no fato de que seu córtex estava totalmente quieto bem no momento em que ele desfrutava o melhor dia de sua vida em companhia dos anjos. Mesmo que todo o córtex estivesse de fato inativo (repito: uma afirmação inacreditável), como ele podia saber que suas visões não ocorreram durante os minutos e horas depois que suas funções haviam voltado? O próprio fato de Alexander se *lembrar* de sua EQM sugere que as estruturas corticais e subcorticais necessárias para a formação de memórias estavam ativas no momento. Do contrário, como ele poderia se recordar da experiência?

Alexander não apenas parece ignorar a ciência pertinente, mas também não percebe quantas pessoas tiveram visões semelhantes à dele sob influência de substâncias psicodélicas como a dimetiltriptamina (DMT) ou anestésicos como a cetamina. Aliás, ele afirmou que qualquer sugestão de que existem semelhanças entre o efeito desses compostos no cérebro e sua experiência "não passa nem perto da verdade". Mas vejamos a descrição que Alexander fez (em uma entrevista) da vida após a morte:

> Eu era um pontinho na asa de uma linda borboleta; milhões de outras borboletas à nossa volta. Voávamos por entre flores desabrochadas, botões nas árvores, e todos se abriam quando passávamos por eles. [...] [Havia] cascatas, tanques de água, cores indescritíveis, e acima de tudo havia uns arcos de luz prateada e dourada e belos hinos que de lá desciam. Hinos indescritivelmente deslumbrantes. Mais tarde eu os chamei de "anjos", aqueles arcos de luz no céu. Creio que a palavra seja, provavelmente, bem apropriada. [...]
>
> Em seguida saímos deste universo. Eu me lembro de que vi tudo ficando para trás e, de início, senti como se minha percepção fosse um vazio infinito negro. Era muito reconfortante, mas eu conseguia sentir a extensão da infinitude, que era, como se poderia esperar, impossível de pôr em palavras. Eu estava lá com aquela presença Divina que não era nada que eu fosse capaz de ver e descrever, e com um orbe de luz brilhante. [...]
>
> Disseram que havia muitas coisas que eles me mostrariam, e continuaram a me mostrar. De fato, toda a multiplicidade das dimensões mais altas era uma bola complexa, corrugada, e todas aquelas lições sobre ela entravam em mim. Parte das lições envolvia me tornar tudo o que me mostravam. Era indescritível.[18]

"Não passa nem perto da verdade?" A experiência de Alexander é tão parecida com uma viagem sob efeito de DMT que não estamos somente perto da verdade: estamos falando do milímetro quadrado onde ela se encontra. *Tudo* o que Alexander descreve sobre sua experiência, incluindo as partes que omiti, já foi relatado por pessoas sob efeito da DMT. A semelhança é impressionante. Eis como Terence McKenna descreveu o transe prototípico da DMT:

> Sob a influência da DMT, o mundo se torna um labirinto árabe, um palácio, uma joia marciana mais do que possível, com vastos desenhos que inundam a mente boquiaberta de um deslumbramento complexo, indescritível. Toda a experiência é impregnada de cor e da sensação de um segredo próximo dali que desvendará a realidade. Há uma sensação de outras épocas, a da minha infância, a de fascínio, fascínio e mais fascínio. É uma audiência com o núncio alienígena. Em meio a essa experiência, aparentemente no fim da história humana, guardando portões que parecem se abrir com certeza para o ululante turbilhão do inexprimível vazio entre as estrelas, está o Éon.
>
> O Éon, como Heráclito previu, é uma criança brincando com bolas coloridas. Muitos seres diminutos estão ali: os pequeninos, os elfos mecânicos autotransformadores do hiperespaço. Serão eles as crianças destinadas a ser o pai do homem? Tem-se a impressão de se entrar em uma ecologia de almas que está além dos portais daquilo que chamamos ingenuamente de morte. Não sei. Serão a corporificação sinestésica de nós mesmos como o Outro, ou do Outro como nós mesmos? Serão os elfos que perdemos desde a extinção da luz mágica da infância? Eis um mistério tremendo e fascinante, uma epifania além dos nossos sonhos mais delirantes. Eis o reino daquilo que é mais estranho do que *somos capazes* de supor. Eis o mistério, vivo, ileso, ainda tão novo para nós como quando nossos ancestrais viviam há quinze mil verões. As entidades de triptamina oferecem o dom da nova língua, cantam em vozes peroladas que chovem como pétalas coloridas e fluem pelo ar como metal quente para se tornarem brinquedos e presentes

como os que os deuses dariam aos filhos. A sensação de conexão emocional é aterradora e intensa. Os Mistérios revelados são reais e, se viessem a ser enunciados por completo, não deixariam pedra sobre pedra no mundinho em que nos tornamos tão doentes.

Não é o mundo volúvel do OVNI, a ser invocado de cumes ermos; não é o canto de sereia da Atlântida perdida a se lamentar nos estacionamentos de trailers da América ensandecida pelo crack. A DMT não é uma das nossas ilusões irracionais. Acredito que o que vivenciamos na presença da DMT seja uma novidade real. É uma dimensão próxima — assustadora, transformadora e além da nossa capacidade de imaginação, e ainda à espera de ser explorada do modo usual. Precisamos enviar especialistas destemidos, seja lá o que for que isso possa vir a significar, para explorar e relatar o que descobrirem.[19]

Alexander acredita que seu cérebro não teria sido capaz de produzir as visões porque elas eram "intensas" demais, "hiper-reais" demais, "belas" demais, "interativas" demais e impregnadas demais de significado para que um cérebro as conjurasse. Ele também acha que suas visões nunca poderiam ter surgido nos minutos ou horas durante os quais seu córtex (que sem dúvida nunca se desativou) voltava a funcionar. Mas ele desconsiderou por completo o que as pessoas com o cérebro sadio experimentam sob a influência de substâncias psicodélicas. E parece não saber que visões como as descritas por McKenna, embora pareçam durar uma eternidade, requerem apenas um breve intervalo de tempo biológico. Em contraste com o LSD e outras substâncias psicodélicas de ação prolongada, a DMT altera a consciência por apenas alguns minutos. Alexander teria tido tempo mais do que suficiente para experimentar um êxtase visionário quando estava voltando do coma (quer seu córtex estivesse ou não se reiniciando).

Alexander sabe que a DMT existe no cérebro com um neurotransmissor. Seu cérebro experimentou um surto de liberação de DMT durante o coma? Em seu livro, ele descarta a possibilidade, reiterando a afirmação infundada sobre a qual se baseia todo o seu relato: a DMT necessitaria de um córtex em funcionamento para poder agir sobre ele, enquanto seu córtex "não estava disponível para ser afetado". Experiências semelhantes podem ocorrer com uso de cetamina, um anestésico cirúrgico que é usado ocasionalmente para proteger um cérebro traumatizado. Teria Alexander *recebido cetamina* enquanto estava no hospital? Teriam ministrado a ele algum outro anestésico capaz de produzir um espectro semelhante de efeitos em doses baixas? Ele ao menos consideraria isso relevante se houvesse sido medicado desse modo? Sua afirmação de que uma substância psicodélica como DMT ou um anestésico como a cetamina não poderiam "explicar o tipo de clareza, a rica interatividade, a camada sobre camada de entendimento" que ele experimentou talvez seja a coisa mais assombrosa que ele disse desde seu retorno do céu. É universalmente sabido que esses compostos produzem tais efeitos. E a maioria dos cientistas acredita que os efeitos previsíveis das substâncias psicodélicas indicam que o cérebro está, no mínimo, *envolvido* na produção de estados visionários como os relatados por Alexander.

O conhecimento de uma vida além da morte que Alexander alega possuir também depende de alguns métodos de comprovação extraordinariamente dúbios. Enquanto estava em coma, ele viu uma bela moça cavalgando a seu lado na asa de uma borboleta. Ficamos sabendo, em seu livro, que ele preparou a reconstituição de sua experiência no decorrer de *meses* — escrevendo, pensando e buscando nela novos detalhes. Seria difícil imaginar um modo melhor de engendrar uma distorção da memória.

Alexander também nos diz que teve uma irmã biológica que ele nunca viu, que faleceu alguns anos antes de ele entrar em coma. Quando viu o retrato dela pela primeira vez depois de se recuperar, deduziu que a mulher era a moça que se juntara a ele na cavalgada de borboleta. Foi buscar a confirmação disso com sua família biológica e ficou sabendo que sua irmã sempre fora realmente "muito carinhosa". CQD.

Como venho afirmando ao longo deste livro, passei boa parte da vida estudando e buscando experiências como a descrita por Alexander. Não contraí meningite, felizmente, nem tive uma EQM, mas experimentei vários fenômenos que levaram muita gente a acreditar no sobrenatural. Certa ocasião, por exemplo, tive a oportunidade de estudar com o grande lama tibetano Dilgo Khyentse Rinpoche no Nepal. Antes de viajar, tive um sonho no qual ele parecia me transmitir ensinamentos sobre a natureza da mente. O sonho me pareceu interessante por duas razões: os ensinamentos que recebi eram novos, úteis e convergentes com o que eu mais tarde compreendi ser verdade, e eu nunca me encontrara com Khyentse Rinpoche, nem, ao que me lembre, vira uma fotografia dele. (O episódio precedeu meu acesso à Internet em no mínimo cinco anos, portanto a crença de que eu nunca vira uma foto dele era mais plausível do que seria atualmente.) Também me lembro de que não foi fácil para mim encontrar uma foto dele para fazer a comparação. Mas, como estava prestes a conhecer o homem pessoalmente, eu achei que seria capaz de confirmar se ele de fato estivera no meu sonho.

Primeiro, os ensinamentos: o lama do meu sonho começou perguntando quem eu era. Respondi com meu nome. Aparentemente, essa não era a resposta que ele buscava.

"Quem é você?", ele repetiu. Agora ele me fitava nos olhos e apontava para meu rosto com o dedo. Eu não soube o que dizer.

"Quem é você?", ele tornou a dizer e a apontar.

"Quem é você?", ele disse uma última vez, mas de repente desviou o olhar e apontou como se agora falasse com alguém à minha esquerda. O efeito foi surpreendente, porque eu sabia (até onde se pode dizer que alguém sabe alguma coisa num sonho) que estava sozinho. O lama apontava para alguém que não se encontrava ali, e eu subitamente notei uma verdade sobre a natureza da mente que mais tarde compreendi ser importante: subjetivamente, existe apenas a consciência e seus conteúdos; não existe um self interior que seja consciente. A sensação de uma presença dentro de nós, digamos assim, é uma ilusão. O lama do sonho pareceu dissecar meu sentimento de ser um self e, por um breve momento, removê-lo da minha mente. Acordei convencido de que tinha vislumbrado algo muito profundo.

Depois de viajar para o Nepal e de encontrar a impressionante figura de Khyentse Rinpoche sentado em um trono de brocado instruindo centenas de monges, eu me espantei com a sensação de que ele se parecia mesmo com o homem do meu sonho. No entanto, ainda mais evidente era o fato de que eu não tinha como saber se essa impressão era verídica. Sem dúvida teria sido *mais divertido* acreditar que algo mágico acontecera e que eu fora escolhido para algum tipo de iniciação transpessoal. Mas a atração dessa crença sugeria apenas que as exigências para a comprovação tinham de ser maiores, e não menores. E, embora na época eu não tivesse formação científica, sabia que a memória humana não é confiável nessas condições. Que crédito eu deveria dar à sensação de familiaridade? Estaria recordando com precisão o rosto de um homem que encontrara em um sonho ou me entregando à reconstrução criativa daquele rosto? No mínimo, a experiência de déjà-vu prova que a sensação de ter vivido algo previamente pode sair dos trilhos da recordação genuína. Minhas viagens por círculos espirituais também haviam me colocado em contato com muitas pessoas que pareciam demasiado sôfregas por enganar a si mesmas em relação a esse tipo de experiência, e eu não tinha a menor vontade de imitá-las. Diante dessas considerações, não acreditei que Khyentse Rinpoche *realmente* aparecera em meu sonho. E com certeza eu nunca seria tentado a usar essa experiência como prova conclusiva do sobrenatural.

Convido o leitor a comparar essa atitude à que o dr. Eber Alexander muito provavelmente exibirá pelo resto da vida perante multidões de crédulos. A estrutura das nossas experiências foi semelhante: cada um de nós teve a oportunidade de comparar um rosto recordado de um sonho a uma visão de uma pessoa (ou foto) no mundo físico. Eu percebi que a tarefa era impossível. Alexander acreditou ter feito a maior descoberta da história da ciência.

Repito que não se pode dizer nada contra a experiência que Alexander teve. E esse tipo de êxtase nos diz muito sobre o quanto a mente humana pode se sentir bem. O problema é que as conclusões que Alexander tirou da experiência — como *cientista*, ele nos lembra continuamente — se baseiam em erros flagrantes de raciocínio e em equívocos sobre a ciência pertinente.

A entusiástica recepção a Alexander também indica uma confusão generalizada acerca da natureza da autoridade científica. Boa parte das críticas que recebi por refutar seu relato se concentra no que parecem ser suas credenciais científicas impecáveis. No entanto, quando se debate a validade de evidências e argumentos, as credenciais de uma pessoa nunca podem predominar sobre as de outra. Credenciais apenas fornecem uma indicação aproximada do que uma pessoa provavelmente sabe — ou deveria saber. Se Alexander tirasse conclusões científicas razoáveis de sua experiência, ele não precisaria ser um neurocientista para ser levado a sério; poderia ser um filósofo — ou um mineiro de carvão. Mas ele não pensa em absoluto como um cientista, por isso nem uma série de prêmios Nobel o protegeria de críticas.[20]

Eis o eterno problema desse tipo de relato. Algumas pessoas são tão ávidas por interpretar as EQM como prova de uma vida no além que até aquelas de quem se esperaria um forte comprometimento com o raciocínio científico jogam o juízo pela janela. A verdade é que, seja lá o que for que aconteça após a morte, é possível se justificar uma vida de prática espiritual e autotranscendência sem fingirmos que sabemos o que não sabemos.

OS USOS ESPIRITUAIS DA FARMACOLOGIA

Tudo o que fazemos tem como finalidade alterar a consciência. Fazemos amigos para sentir amor e evitar a solidão. Comemos certos alimentos para desfrutar na língua sua presença fugaz. Lemos pelo prazer de pensar o que outra pessoa pensou. Em todos os momentos de vigília — e até nos sonhos — nos esforçamos para dirigir o fluxo de sensações, de emoções e de cognição para estados de consciência que apreciamos.

As drogas são outro meio para esse fim. Algumas são ilegais, outras, estigmatizadas, outras ainda, perigosas, embora, perversamente, essas categorias coincidam apenas em parte. Algumas drogas muito poderosas e úteis, como a psilocibina (o composto ativo dos "cogumelos mágicos") e a dietilamida do ácido lisérgiso (LSD), não parecem trazer risco de dependência e são fisicamente bem toleradas, mas ainda assim pode-se ir para a prisão por usá-las. Em contraste, drogas como o tabaco e o álcool, que arruínam incontáveis vidas, são usadas *ad libitum* em quase todas as sociedades do planeta. Há outros pontos nesse continuum: a MDMA, ou ecstasy, possui um poder terapêutico notável, mas também é suscetível ao abuso, e há alguns indícios de que possa ser neurotóxica.[21]

Uma das grandes responsabilidades que temos como sociedade é a de nos educar, junto com a próxima geração, sobre quais substâncias vale a pena ingerir e com que finalidade. O problema, porém, é que nos referimos a todas essas substâncias biologicamente ativas por um único termo: *drogas*, o que quase impossibilita uma discussão inteligente sobre as questões psicológicas, médicas, éticas e legais em torno de seu uso. A pobreza da nossa linguagem foi só um pouco facilitada pela introdução do termo *psicodélico* para diferenciar certos compostos visionários capazes de produzir insights extraordinários dos *narcóticos* e outros agentes clássicos ligados ao estupor e ao abuso.

Mas não devemos nos precipitar e sentir saudade da contracultura dos anos 1960. É verdade que houve descobertas cruciais para as esferas social e psicológica e que as drogas foram centrais nesse processo, mas basta ler relatos sobre a época, como *Slouching Towards Bethlehem,* de Joan Didion, para ver o problema que existe em uma sociedade voltada para o êxtase a qualquer custo. Para cada insight de valor duradouro produzido por drogas, houve um exército de zumbis com flores na cabeça que se arrastaram para o fracasso e o arrependimento. Ligar-se, sintonizar-se e cair fora* é uma atitude sábia, ou até benigna, apenas se você puder entrar em um modo de vida que faça sentido ética e materialmente e não deixar seus filhos soltos na rua no meio dos carros.

O abuso e a dependência de drogas são problemas muito reais, cujos remédios são educação e tratamento médico, e não a prisão. De fato, hoje nos Estados Unidos parece que a oxicodona e outros analgésicos prescritos em farmacoterapia representam a maior porcentagem de abuso. Esses medicamentos devem ser declarados ilegais? Claro que não. Mas é necessário informar as pessoas sobre seus riscos, e os dependentes precisam de tratamento. E todas as drogas — inclusive álcool, cigarro e aspirina — têm de ser mantidas fora do alcance das crianças.

Discuti questões sobre a política das drogas com certo detalhamento em meu primeiro livro, *A morte da fé,* e minhas ideias sobre o tema não mudaram. A "guerra contra as drogas" foi per-

* "*Turn on, tune in, drop out*", frase popularizada pelo psicólogo e escritor Timothy Leary, um ícone da contracultura dos anos 1960. (N. T.)

dida e nunca deveria ter sido travada. Não consigo pensar em um direito mais fundamental do que o direito de gerir pacificamente os conteúdos da nossa própria consciência. O fato de que arruinamos inutilmente a vida de usuários de drogas não violentos, encarcerando-os, a um custo enorme, constitui um dos grandes fracassos morais do nosso tempo. (E o fato de que abrimos espaço para eles em nossas prisões dando liberdade condicional a assassinos, estupradores e molestadores de crianças me faz pensar se a civilização não está mesmo condenada.)

Tenho duas filhas que um dia usarão drogas. Obviamente farei tudo ao meu alcance para garantir que elas as usem com sabedoria, mas uma vida inteiramente sem drogas não é algo previsível e nem, a meu ver, desejável. Espero que um dia elas apreciem uma xícara de chá ou café pela manhã como eu faço. Se tomarem bebidas alcoólicas na vida adulta, o que é provável que aconteça, eu as incentivarei a fazê-lo com segurança. Se decidirem fumar maconha, recomendarei moderação. Do fumo se deve fugir, e farei tudo o que estiver no limite da ação de um pai que se preze para mantê-las longe dele. Nem é preciso dizer que, se eu souber que uma de minhas filhas acabará por adquirir gosto por metanfetamina ou heroína, talvez eu nunca mais consiga dormir. Mas se elas não experimentarem uma substância psicodélica como a psilocibina ou o LSD pelo menos uma vez na vida adulta, pensarei se não terão perdido um dos ritos de passagem mais importantes que um ser humano pode vivenciar.

Isso não quer dizer que todo mundo deva usar substâncias psicodélicas. Como deixarei claro adiante, essas drogas trazem certos perigos. Sem dúvida algumas pessoas não podem se arriscar a um puxão mínimo na âncora da sanidade mental. Já faz muitos anos que usei substâncias psicodélicas, e minha abstinência nasceu de um respeito saudável pelos riscos que elas trazem. Contudo, aos vinte e poucos anos houve um período em que considerei a psilocibina e o LSD ferramentas indispensáveis, e passei algumas das horas mais importantes da minha vida sob a influência dessas substâncias. Sem elas eu talvez nunca descobrisse que existe na mente uma paisagem interior que vale a pena explorar.

Não há como deixar de lado aqui o papel da sorte. Se você tiver sorte, e se usar a droga certa, saberá o que é ser iluminado (ou chegará suficientemente perto disso para se convencer de que a iluminação é possível). Se tiver azar, saberá o que é ser insano clinicamente. Embora eu não recomende a segunda experiência, ela aumenta nosso respeito pela tênue condição da sanidade e nossa compaixão pelos que sofrem de doenças mentais.

Os seres humanos ingerem substâncias psicodélicas de base vegetal há milênios, mas as pesquisas científicas sobre esses compostos só começaram nos anos 1950. Em 1965 havia mil estudos publicados, principalmente sobre a psilocibina e o LSD, muitos dos quais atestavam a utilidade de substâncias psicodélicas no tratamento de depressão clínica, transtorno obsessivo-compulsivo, dependência de álcool e a dor e a angústia associadas ao câncer terminal. Em poucos anos, porém, na tentativa de conter a disseminação das drogas pela população, esse campo de estudo foi proibido. Após um hiato que durou toda uma geração, a farmacologia e o valor terapêutico de substâncias psicodélicas voltaram discretamente a ser tema de pesquisas científicas.

Substâncias psicodélicas como a psilocibina, o LSD, a DMT e a mescalina alteram poderosamente a cognição, a percepção e o humor. A maioria parece exercer sua influência através do sistema da serotonina no cérebro, principalmente se ligando a receptores 5-HT2A (embora várias também tenham afinidade com outros receptores) e levando ao aumento da atividade no córtex pré-frontal (CPF). Embora o CPF, por sua vez, module a produção subcortical de dopamina — e alguns desses compostos, como o LSD, se liguem diretamente a receptores de dopamina —, o efeito da substância psicodélica parece ocorrer, em grande medida, fora das vias dopaminérgicas, o que poderia explicar por que essas drogas não criam dependência.

Pode parecer que a eficácia de substâncias psicodélicas estabelece, sem sombra de dúvida, a base material da vida mental e espiritual, já que a introdução dessas drogas no cérebro é a causa óbvia de todo apocalipse sobrenatural subsequente. Contudo, é possível, se não efetivamente plausível, usarmos essa evidência com o efeito oposto e argumentar, como fez Aldous Huxley em seu clássico *As portas da percepção,* que a função primária do cérebro talvez seja *eliminatória:* seu propósito pode ser impedir que uma dimensão transpessoal da mente inunde a consciência e, com isso, permitir que primatas como nós sigam pelo mundo sem se deslumbrar a cada passo com fenômenos visionários que não são relevantes para a sobrevivência física. Huxley pensava no cérebro como uma espécie de "válvula redutora" para a "Mente Como um Todo". De fato, a ideia de que o cérebro é um filtro e não a origem da mente remonta a Henri Bergson e William James. Para Huxley, isso explicaria a eficácia das substâncias psicodélicas: elas podem ser apenas um meio material de abrir a torneira.

Huxley argumentou com base na suposição de que as substâncias psicodélicas diminuem a atividade cerebral. Alguns dados recentes corroboram essa ideia; por exemplo, um estudo de neuroimagem sobre a psilocibina[22] sugere que a droga reduz primordialmente a atividade no córtex cingulado anterior, região envolvida em uma ampla variedade de tarefas relacionadas ao monitoramento do self. No entanto, outros estudos constataram que substâncias psicodélicas aumentam a atividade por todo o cérebro. Seja como for, a ação dessas drogas não exclui o dualismo, isto é, a existência de reinos da mente além do cérebro —

mas, pensando bem, nada o faz. Esse é um dos problemas de tais visões: elas parecem ser impossíveis de serem refutadas. Já o fisicalismo poderia ser refutado com facilidade. Se a ciência estabelecesse um dia a existência de fantasmas, da reencarnação ou de quaisquer outros fenômenos que situem a mente humana (como um todo ou em parte) fora do cérebro, o fisicalismo estaria morto. O fato de os dualistas jamais serem capazes de dizer o que poderia constituir uma evidência contra suas ideias torna muito difícil distinguir essa antiga perspectiva filosófica da fé religiosa.

Temos razão para ser céticos quanto à tese do cérebro como barreira. Se o cérebro fosse só um filtro da mente, a cognição aumentaria quando ele fosse danificado. De fato, danificar estrategicamente o cérebro deveria ser o método de prática espiritual mais confiável à disposição de qualquer pessoa. Em quase todos os casos, a perda do cérebro deveria resultar em *mais mente*. Só que não é assim que a mente funciona.

Alguns tentam contornar esse fato aventando que o cérebro talvez funcione mais como um rádio, um receptor de estados conscientes, e não uma barreira a esses estados. À primeira vista, pode parecer que isso explicaria os efeitos nocivos das lesões e doenças neurológicas, porque, se quebrarmos um rádio a marteladas, ele deixará de funcionar bem. Mas essa metáfora tem um problema. As pessoas que a empregam se esquecem invariavelmente de que *somos a música, e não o rádio*. Se o cérebro não passasse de um receptor de estados conscientes, deveria ser impossível diminuir a experiência que uma pessoa tem do cosmo danificando seu cérebro. Ela poderia *parecer* inconsciente por fora — como um rádio quebrado —, mas, subjetivamente falando, a música continuaria a tocar.

Reduções específicas da atividade cerebral poderiam beneficiar as pessoas em certos aspectos, desmascarando memórias ou capacidades que estivessem sendo inibidas ativamente pelas regiões em questão. Mas não há razão para pensarmos que a destruição generalizada do sistema nervoso central deixaria a mente ilesa (e, muito menos, melhorada). Medicações que reduzem a ansiedade funcionam de modo geral aumentando o efeito do neurotransmissor inibidor GABA, diminuindo assim a atividade neuronal em várias partes do cérebro. Entretanto, o fato de que embotar a excitação desse modo pode fazer com que a pessoa se sinta melhor não implica que ela se sentiria melhor ainda se lhe ministrassem drogas para que entrasse em coma. Da mesma forma, não seria de surpreender se a psilocibina reduzisse a atividade cerebral em áreas responsáveis pela monitoração do self, porque isso poderia, em parte, explicar as experiências associadas com frequência a essa droga. Isso não nos autoriza a acreditar que desligar totalmente o cérebro produziria uma percepção maior das realidades espirituais.

Entretanto, o cérebro *realmente* exclui da consciência uma extraordinária quantidade de informações. E eu, como muitos que usaram substâncias psicodélicas, posso atestar que elas abrem os portões. Postular a existência de uma Mente Como um Todo é mais tentador em alguns estados de consciência que em outros. Mas essas drogas também podem produzir estados mentais que são melhor vistos como formas de psicose. De modo geral, acredito que devemos pensar muito bem antes de tirar conclusões sobre a natureza do cosmo com base em experiências interiores — por mais profundas que pareçam ser.

Uma coisa é certa: a mente é mais vasta e fluida do que sugere nossa consciência comum no estado de vigília. E é impossível se comunicar a profundidade (ou a aparente profundidade) de estados psicodélicos a quem nunca os experimentou. Aliás, é difícil que a própria pessoa lembre *a si mesma* do poder desses estados depois que eles se dissiparam.

Muitos se perguntam qual seria a diferença entre a meditação (e outras práticas contemplativas) e o efeito de substâncias psicodélicas. Será que essas drogas são uma forma de trapacear, ou o único meio para o despertar autêntico? Nenhuma das alternativas. Todas as drogas psicoativas modulam a neuroquímica cerebral existente — seja imitando neurotransmissores específicos, seja levando os próprios neurotransmissores a serem mais ou menos ativos. Tudo o que uma pessoa pode experimentar com uma droga é, em certo nível, uma expressão do potencial do cérebro. Portanto, o que quer que se possa ver ou sentir depois de ingerir LSD, provavelmente poderia ser visto ou sentido por alguém, em algum lugar, sem a droga.

Não se pode negar, porém, que as substâncias psicodélicas são um meio demasiado potente para alterar a consciência. Ainda que se ensine uma pessoa a meditar, a orar, a entoar cânticos ou a praticar ioga, não há nenhuma garantia de que algo venha a acontecer. Dependendo de sua aptidão ou interesse, a única recompensa por seus esforços pode ser tédio e dor nas costas. Por outro lado, se alguém ingerir cem microgramas de LSD, o que acontecerá a seguir irá depender de vários fatores, mas não há dúvida de que *alguma coisa* vai acontecer. E tédio não está na lista. Em uma hora, o significado da existência se abaterá sobre essa pessoa como uma avalanche. Como o falecido Terence McKenna nunca se cansava de frisar, essa garantia de um efeito profundo, para o bem ou para o mal, é o que separa as substâncias psicodélicas de qualquer outro meio de exploração espiritual.[23]

Ingerir uma forte dose de uma droga psicodélica é como se amarrar a um foguete sem sistema de direção. Você pode ir para algum lugar que valha a pena e, de acordo com o composto e seu *set and setting*,* certas trajetórias são mais prováveis que outras.

* Estado de espírito e contexto, no jargão psicodélico. (N. T.)

Contudo, por mais metodicamente que uma pessoa se prepare para a viagem, ela ainda pode ser lançada em estados mentais tão dolorosos e desnorteantes que eles são indistintos da psicose. Por isso, os termos *psicotomimético* e *psicotogênico** são às vezes aplicados a essas drogas.[24]

Visitei os dois extremos do continuum psicodélico. As experiências positivas foram mais sublimes do que eu jamais poderia imaginar ou do que eu sou capaz de recordar fielmente. Essas substâncias revelam camadas de beleza que a arte não consegue captar, e das quais a beleza da própria natureza é um mero simulacro. Uma coisa é sentir assombro perante uma sequoia gigante e se admirar com os detalhes de sua história e biologia. Outra, bem diferente, é passar uma eternidade aparente em comunicação livre do ego com a árvore. Experiências psicodélicas positivas revelam com frequência o quanto um ser humano pode estar incrivelmente à vontade no universo — e, para a maioria de nós, a consciência normal em vigília não oferece nem sequer um vislumbre das possibilidades mais profundas.

As pessoas geralmente saem de tais experiências com a sensação de que os estados de consciência convencionais obscurecem e truncam insights e emoções sagrados. Se os patriarcas e matriarcas das religiões mundiais experimentassem esses estados mentais, muitas de suas afirmações acerca da natureza da realidade fariam sentido *subjetivamente*. Uma visão beatífica não nos diz nada sobre o nascimento do cosmo, mas revela como uma mente pode ser de todo transfigurada em um encontro pleno com o momento presente.

No entanto, se os picos são elevados, os vales são profundos. Minhas *bad trips* foram, sem sombra de dúvida, as horas mais excruciantes que já atravessei, e fazem a noção do inferno — como

* Esses termos se referem a substâncias que parecem *imitar* ou *causar* sintomas de psicose. (N. A.)

metáfora, se não o verdadeiro destino — parecer totalmente apropriada. No mínimo, essas experiências dilacerantes podem se tornar uma fonte de compaixão. Acho que talvez seja impossível imaginar como é sofrer de doença mental sem ter pisado brevemente nessa praia.

Nos dois extremos do continuum, o tempo se dilata de modos que não podem ser descritos — exceto pela mera observação de como essas experiências podem parecer eternas. Passei horas, boas e más, nas quais perdi toda a compreensão de que tinha ingerido uma droga, e com ela perdi todas as memórias do passado. A imersão no momento presente em um grau como esse é sinônimo do sentimento de que sempre se está e sempre se estará precisamente nessa condição. Dependendo do caráter da nossa experiência a essa altura, noções de salvação ou danação podem muito bem ser aplicadas. O verso de Blake sobre contemplar a "Eternidade em uma hora" não promete nem ameaça demais.

No início, minhas experiências com a psilocibina e o LSD foram tão positivas que eu não imaginava como uma viagem ruim poderia ser possível. Minhas noções reconhecidamente vagas sobre o *set and setting* me pareciam suficientes para explicar a boa sorte. Meu estado mental era exatamente o que tinha de ser: eu era um investigador espiritualmente sério da minha própria mente — e, em geral, me encontrava em um contexto de beleza natural ou de solidão segura.

Eu não sabia explicar por que minhas aventuras psicodélicas eram uniformemente agradáveis até o momento em que não o foram, mas assim que as portas do inferno se abriram, parecem ter ficado escancaradas para sempre. Dali por diante, quer uma viagem fosse ou não boa como um todo, ela em geral implicava algum desvio excruciante do caminho do sublime. Você já viajou, além da mera metáfora, à Montanha da Vergonha e lá permaneceu por mil anos? Não recomendo.

* * *

Em minha primeira viagem ao Nepal, entrei num barco a remo no lago Phewa em Pokhara, onde a vista da cordilheira do Annapurna é deslumbrante. Era de manhã cedo, e eu estava sozinho. Quando o sol se ergueu da água, ingeri quatrocentos microgramas de LSD. Eu tinha vinte anos e já usara a droga no mínimo dez vezes. O que poderia dar errado?

Tudo. Bem, não tudo — eu não me afoguei. Tenho uma vaga lembrança de ser levado pelas águas até chegar à terra firme e ser rodeado por um grupo de soldados nepaleses. Depois de me observarem por algum tempo, enquanto eu os fitava por sobre a amurada como um lunático, eles pareceram prestes a decidir o que fazer comigo. Depois de algumas palavras educadas em esperanto e umas remadas frenéticas, eu estava distante da margem, esquecido. Suponho que *isso* poderia ter terminado de outro modo.

Mas logo não havia lago, montanhas nem barco — e, se eu tivesse caído na água, tenho quase certeza de que não haveria ninguém para nadar. Nas várias horas seguintes, minha mente se tornou um instrumento perfeito de autotortura. Tudo o que restava era um despedaçamento e um terror contínuos, para os quais não tenho palavras.

Um encontro como esse arranca alguma coisa de nós. Mesmo que o LSD e drogas semelhantes sejam seguros biologicamente, eles têm o potencial de produzir experiências extremamente ruins e desestabilizantes. Acredito que fui afetado positivamente por minhas viagens boas, e negativamente pelas ruins, durante semanas e meses.

A meditação pode abrir a mente para um conjunto semelhante de estados conscientes, mas de um modo muito menos aleatório. Se o LSD é como ser amarrado a um foguete, aprender a meditar é como desfraldar delicadamente uma vela. Sim, é possível, mesmo com orientação, ir parar em algum lugar aterrador, e algumas pessoas provavelmente não devem passar longos períodos em prática intensiva. Mas o efeito geral do treinamento de meditação é o de nos acomodarmos ainda mais na própria pele e sofrermos menos dentro dela.

Como expliquei em *A morte da fé*, considero a maioria das experiências psicodélicas desnorteantes em potencial. Não garantem a sabedoria nem um claro reconhecimento da ausência de self na consciência. Elas garantem apenas que os conteúdos da consciência mudarão. A meu ver, experiências visionárias desse tipo, consideradas no todo, são neutras do ponto de vista ético. Portanto, parece que os êxtases psicodélicos devem ser orientados para nosso bem-estar pessoal e coletivo por algum outro princípio. Como ressaltou Daniel Pinchbeck em seu interessante livro *Breaking Open the Head*, o fato de que tanto os maias como os astecas usavam drogas psicodélicas e eram praticantes entusiásticos do sacrifício humano faz parecer qualquer conexão idealista entre o xamanismo baseado em plantas e uma sociedade iluminada terrivelmente ingênua.

A forma de transcendência que parece ligar de modo direto o comportamento ético e o bem-estar humano é a que ocorre no dia a dia durante a vigília. É ao deixar de nos apegar aos conteúdos da consciência — aos nossos pensamentos, humores e desejos — que progredimos. Esse projeto, a princípio, não requer que experimentemos *mais* conteúdo. Ficar livre do self, que é tanto o objetivo como o alicerce da vida espiritual, coincide com a percepção e a cognição normais — muito embora, como já mencionei, possa ser difícil de se alcançar.[25]

O poder das substâncias psicodélicas, porém, está em que muitas vezes revelam, em poucas horas, profundidades de assombro e realização que, sem elas, podem nos escapar por toda a vida. É difícil encontrar quem enuncie isso melhor que William James:[26]

Uma conclusão se impôs à minha mente na época, e desde então minha impressão sobre sua verdade permanece inabalada. É a de que nossa consciência normal quando estamos acordados, a consciência racional, como a chamamos, é apenas um tipo especial de consciência, enquanto à sua volta, dela separada pela tela mais fina, estão formas potenciais de consciência totalmente diferentes. Podemos passar pela vida sem suspeitar de sua existência; mas, com o estímulo necessário e a um toque, elas estão lá, em toda a sua plenitude, tipos definidos de mentalidade que provavelmente têm seu campo de aplicação e adaptação em alguma parte. Nenhuma explicação do universo em sua totalidade pode ser conclusiva se desconsiderar essas outras formas de consciência. Como levá-las em consideração é a questão — porque são muito separadas da consciência ordinária. No entanto, elas podem determinar atitudes ainda que não possam fornecer fórmulas, e abrir uma região ainda que não forneçam um mapa. Seja como for, elas proíbem um fechamento prematuro das nossas interpretações da realidade.[27]

Acredito que a experiência psicodélica pode ser indispensável para algumas pessoas — em particular as que, como eu, precisam ser convencidas no início da possibilidade de mudanças profundas na consciência. Depois disso, parece aconselhável descobrir modos de se praticar que não apresentem os mesmos riscos. Por sorte esses métodos estão amplamente disponíveis.

Este capítulo nos conduziu pela borda de um precipício. Não há dúvida de que experiências novas e intensas — em companhia de um guru, no limiar da morte ou ao se recorrer a certas drogas — podem lançar a pessoa em um torvelinho de ilusão. Mas também podem ampliar horizontes.

Os objetivos da espiritualidade não são exatamente os mesmos da ciência, mas tampouco são acientíficos. Sonde sua mente, ou preste atenção às conversas que tem com outras pessoas, e você descobrirá que não existem fronteiras reais entre a ciência e qualquer outra disciplina que tente fazer afirmações válidas sobre o mundo com base em evidências e lógica. Quando as afirmações e os métodos de comprovação admitem a experimentação e/ou a descrição matemática, tendemos a dizer que nossos interesses são "científicos"; quando se relacionam a questões mais abstratas, ou à consistência do nosso próprio pensamento, costumamos dizer que somos "filosóficos"; quando apenas queremos saber como as pessoas se comportavam no passado, chamamos nossos interesses de "históricos" ou "jornalísticos"; e quando o compromisso de uma pessoa com as evidências e a lógica se torna perigosamente tênue ou se rompe sob o fardo do medo, do autoengano, do tribalismo ou do êxtase, reconhecemos que ela está sendo "religiosa".

As fronteiras entre as disciplinas intelectuais verdadeiras são hoje impostas por pouco mais do que os orçamentos e a arquitetura das universidades. O Sudário de Turim é uma farsa medieval? Essa é uma questão para a história, obviamente, e para a arqueologia, mas as técnicas de datação por radiocarbono implicam que também é uma questão de química e física. A verdadeira distinção que deve nos interessar — e observá-la é o sine qua non da atitude científica — é entre exigir boas razões para aquilo em que se acredita e ficar satisfeito com razões ruins. A espiritualidade requer o mesmo comprometimento com a honestidade intelectual.

Assim que reconhecemos a ausência de self na consciência, a prática da meditação se torna apenas um meio para nos familiarizarmos mais com ela. O objetivo, dali por diante, é não mais desconsiderar o que já foi estabelecido. Paradoxalmente, isso ainda requer disciplina, e reservar tempo para a meditação é indispensável. Mas a verdadeira disciplina é permanecermos comprometidos, a vida inteira, com o despertar do sonho do self. Para isso, não é preciso aceitar nada com base na fé. Na verdade, a única alternativa é permanecermos confusos quanto à natureza da mente.

A consciência é a base da vida inspecionada e não inspecionada. Ela é tudo que pode ser visto e é aquilo que é responsável por ver. Não importa o quanto você foi para longe do lugar em que nasceu e o quanto você entende do mundo, você esteve explorando a consciência e suas mudanças. Por que não fazer isso diretamente?

Conclusão

Perto de seu aniversário de três anos, minha filha perguntou: "De onde vem a gravidade?". Depois de explicarmos que os objetos atraem uns aos outros — e de termos a prudência de deixar de lado a curvatura do espaço-tempo —, minha mulher e eu chegamos à resposta mais profunda e mais honesta: "Não sabemos. A gravidade é um mistério. As pessoas ainda estão tentando descobrir".

Esse tipo de resposta continua a dividir a humanidade. Poderíamos ter dito, como fariam bilhões de outras pessoas, que "a gravidade vem de Deus". Mas isso teria apenas sufocado a inteligência de nossa filha — e lhe ensinado a sufocá-la. Poderíamos ter lhe dito "A gravidade talvez seja o modo como Deus arrasta as pessoas para o inferno, onde elas ardem no fogo. E você vai arder lá *para sempre* se duvidar que Deus existe". Nenhum cristão ou muçulmano é capaz de oferecer uma razão conclusiva para que não disséssemos uma coisa dessas — ou seu equivalente moral —, mas ela seria nada menos que abuso emocional e intelectual contra uma criança. Eu soube de milhares de pessoas oprimidas dessa maneira, desde o momento em que aprenderam a falar, pela ignorância aterradora e o fanatismo de seus pais. A razão das afrontas tão disseminadas contra as crianças é clara: a maioria das pessoas ainda acredita que a religião fornece algo essencial que não se pode obter de outro modo.

Doze anos se passaram desde que me dei conta de como são altas as apostas nessa guerra de ideias. Lembro-me de sentir o solavanco da história quando o segundo avião colidiu com o World Trade Center. Para muitos de nós, aquele foi o momento em que entendemos que as coisas podem dar tremendamente errado em nosso mundo — não porque a vida é injusta ou o progresso moral é impossível, mas porque falhamos, geração após geração, em abolir as ilusões e animosidades dos nossos ancestrais ignorantes. As piores ideias continuam a prosperar e a ser transmitidas, em suas formas mais puras, às crianças.

Qual é o sentido da vida? Qual é o nosso propósito na Terra? Essas são algumas das grandes e falsas questões da religião. Não precisamos respondê-las, porque elas são mal formuladas, mas, mesmo assim, podemos fazer da nossa vida a resposta. No mínimo, podemos criar as condições para o florescimento humano nesta vida — a única vida sobre a qual qualquer um de nós pode ter certeza. Isso significa que não devemos aterrorizar as crianças com ideias sobre o inferno nem envenená-las com ódio pelos infiéis. Não devemos ensinar nossos filhos a considerar as mulheres como sua propriedade futura, nem convencer nossas filhas de que elas são nossa propriedade hoje. E devemos nos recusar a dizer a nossos filhos que a história humana começou com magia sangrenta e terminará com magia sangrenta em uma gloriosa guerra entre os devotos e o resto.

Esses pecados contra a razão e a compaixão não representam a totalidade da religião, mas estão em seu cerne. Quanto ao resto — caridade, comunidade, ritual e vida contemplativa —, são bens que dispensam acreditar com base na fé. Uma das mentiras mais perniciosas da religião, seja ela liberal, moderada ou extremista, é a afirmação de que crer desse modo é essencial.

A espiritualidade continua a ser a grande lacuna no secularismo, humanismo, racionalismo, ateísmo e todas as outras posturas defensivas que homens e mulheres racionais adotam na presença da fé irracional. Pessoas de ambos os lados dessa divisão imaginam que a experiência visionária não tem lugar no contexto da ciência, salvo nos corredores de um hospital para doentes mentais. Enquanto não pudermos falar sobre a espiritualidade em termos racionais — reconhecendo a validade da autotranscendência —, nosso mundo permanecerá dilacerado pelo dogmatismo. Este livro é minha tentativa de iniciar a conversa.

Existe a experiência e existem as histórias que contamos sobre ela. Na melhor das hipóteses, a religião é um conjunto de histórias que relatam os insights éticos e contemplativos de nossos ancestrais mais sábios. Mas as histórias chegam até nós envoltas em confusão imemorial e mentiras perenes. E, geração após geração, elas invariavelmente se solidificam em doutrinas que rejeitam uma revisão. A grande pressão do conhecimento acumulado — na ciência, na medicina e na história — começou a purgar nossa cultura de muitas dessas ideias. Com a força de uma geleira, talvez, mas a um ritmo semelhante. O aumento exponencial no poder da tecnologia gera um crescimento comensurável nas consequências da ignorância humana. Não dispomos de séculos para esperar que nossos vizinhos caiam em si.

Histórias religiosas podem trazer significado à vida de certas pessoas, mas alguns significados são claramente falsos e divisivos. O que significa uma experiência espiritual? Se você é um cristão sentado em uma igreja, ela pode significar que Jesus Cristo sobreviveu à morte e adquiriu um interesse pessoal no destino de sua alma. Se você for um hindu orando para Shiva, teremos uma história bem diferente para contar. Estados de consciência alterados são fatos empíricos, e seres humanos os experienciam em uma grande variedade de condições. Para compreendê-lo, e procurar ter uma vida espiritual sem nos iludir, devemos ver essas experiências em termos universais e seculares.

Felicidade e sofrimento, ainda que extremos, são eventos mentais. A mente depende do corpo, e o corpo, do mundo, mas tudo de bom ou de ruim que acontece em nossa vida tem de aparecer na consciência para ter importância. Esse fato gera grandes oportunidades para tirarmos o melhor proveito de situações adversas — mudar nossa percepção do mundo costuma ser tão bom quanto mudar o mundo —, mas também permite que uma pessoa seja infeliz mesmo quando todas as condições materiais e sociais para a felicidade estão presentes. No curso normal dos acontecimentos, a mente determina a qualidade de nossa vida.

Obviamente, a mente tem limitações, tanto quanto o corpo — e os limites do corpo são óbvios: tenho precisamente a altura que tenho, nem um centímetro a mais. Sou capaz de pular até determinada altura, mas não acima dela. Não posso ver o que está atrás da minha cabeça. Meus joelhos doem. Os limites da minha mente são igualmente claros: não sei falar uma só palavra em coreano, não me recordo do que fiz nesta data em 2011, nem das últimas palavras de Dante que li, nem mesmo das primeiras palavras que eu disse à minha mulher hoje de manhã. Embora eu seja capaz de alterar meus estados de espírito e de atenção, só consigo fazer isso em um grau limitado. Quando estou cansado, posso abrir mais os olhos e tentar me animar, mas não sou capaz de banir toda a sensação de fadiga. Se eu estou um pouco deprimido, posso melhorar o humor com pensamentos alegres. Posso até acessar diretamente um sentimento de felicidade recordando-me de como é ser feliz — pôr um sorriso em minha mente de propósito —, mas não consigo reproduzir a maior alegria que já senti. Tudo em minha mente e meu corpo parece sentir o peso do passado. Sou apenas o que sou.

Mas a consciência é diferente. Ela parece não ter forma, pois qualquer coisa que lhe desse forma teria de surgir *dentro* do campo da consciência. A consciência é simplesmente a luz pela qual os contornos da mente e do corpo são conhecidos. É o que se apercebe de sentimentos como alegria, pesar, prazer e desespero. Pode parecer que assume a forma deles por algum tempo, mas é possível reconhecer que ela nunca o faz de todo. Podemos vivenciar diretamente que a consciência nunca é aprimorada ou prejudicada pelo que conhece. Fazer essa descoberta, repetidas vezes, é a base da vida espiritual.

Como vimos, não há uma razão imperiosa para acreditarmos que a mente independe do cérebro. No entanto, a atitude depreciativa de muitos cientistas para com a consciência — uma atitude que considera a realidade apenas pelo lado de fora, o da terceira pessoa — também não se justifica. Existe um caminho do meio entre criar a religião a partir da vida espiritual e não ter nenhuma vida espiritual.

Sabemos há muito tempo que as aparências das coisas podem ser enganosas, e isso também se aplica à própria mente. No entanto, muita gente descobriu que, por meio de introspecção contínua, é possível aproximar o que as coisas parecem ser daquilo que elas são de fato. Em certo sentido, a ciência que fundamenta essa afirmação ainda engatinha. Em outro sentido, porém, ela é completa. Embora tenhamos apenas começado a entender a mente humana ao nível do cérebro e não saibamos nada sobre como a própria consciência surge, não é cedo demais para afirmar que o self convencional é uma ilusão. Não existe lugar para uma alma dentro de sua cabeça. A própria consciência é divisível — como vimos no caso dos pacientes com cérebro dividido — e, mesmo em um cérebro intacto, a consciência é cega em relação à maior parte do que a mente faz. Tudo o que achamos que somos na esfera de nossa subjetividade — nossas memórias e emoções, nossa capacidade para a linguagem, os próprios pensamentos e impulsos que dão origem ao comportamento — depende de processos distintos que estão dispersos por todo o cérebro. Muitos dos processos podem ser interrompidos ou extintos independentemente. Portanto, o sentimento de que somos sujeitos unificados — os imutáveis pensadores dos pensamentos e vivenciadores das experiências — é uma ilusão. O self convencional é uma aparição transitória em meio a aparições transitórias, e desaparece quando procurado. Não precisamos esperar por dados de laboratório para afirmar que a autotranscendência é possível. E não precisamos nos tornar mestres da meditação para colher os benefícios da prática. Temos capacidade para reconhecer a natureza dos pensamentos, para despertar do sonho de ser apenas nós mesmos e, desse modo, nos tornar mais capazes de contribuir para o bem-estar de outros.

A espiritualidade começa com uma reverência pelo que é ordinário que pode nos levar a insights e experiências absolutamente fora do ordinário. E a oposição convencional entre humildade e arrogância não tem espaço aqui. Sim, o cosmo é vasto e parece indiferente aos nossos projetos mortais, mas cada momento presente de consciência é profundo. Subjetivamente, cada um de nós é idêntico ao próprio princípio que confere valor ao universo. Vivenciá-lo diretamente — e não apenas pensar sobre ele — é o verdadeiro princípio da vida espiritual.

* * *

Estamos sempre e em toda parte na presença da realidade. De fato, a mente humana é a mais complexa e sutil expressão da realidade que já encontramos. Isso deveria conferir profundidade ao humilde projeto de notar como é ser você no presente. Por mais numerosas que sejam suas deficiências, alguma coisa em você, neste momento, é pura — e só você pode reconhecê-la.

Abra os olhos e veja.

Agradecimentos

Devo um reconhecimento especial a meus amigos Jeff Forrester, Joseph Goldstein, Daniel Goleman e D. A. Wallach, que leram o original de *Despertar* e contribuíram com pareceres úteis e incentivo. Andres Fossas prestou valiosa assistência à pesquisa e fez observações perspicazes sobre o texto. E minha preparadora de texto, Martha Spaulding, ajudou muito a melhorar a clareza da obra como um todo.

Partes de *Despertar* derivam da dissertação que escrevi no Programa Interdepartamental de ph.D. em Neurociência da Universidade da Califórnia em Los Angeles. Essas seções se beneficiaram da orientação da banca de minha tese: Mark Cohen, Marco Iacoboni, Eran Zaidel e Jerome ("Pete") Engel. Paul Churchland, Daniel Dennett, Owen Flanagan e Steven Pinker também fizeram uma leitura crítica das versões iniciais do texto e ofereceram comentários muito úteis.

Comecei a escrever *Despertar* justamente quando a indústria editorial entrava em um período tumultuado. Não demorou para que cada pessoa que eu conhecia na Free Press desaparecesse em uma grande rodada de fusões na matriz, Simon & Schuster. No mínimo três pessoas do regime anterior merecem meu agradecimento: Martha Levin, Dominick Anfuso e Hilary Redmon. Continuo a me beneficiar do entusiasmo inicial delas pelo projeto.

Thomas LeBien herdou *Despertar* na Simon & Schuster e se revelou um editor notável. Foi um prazer enorme trabalhar com ele em cada etapa do processo de publicação.

Também sou grato à assistência contínua de meus agentes, John Brockman, Katinka Matson e Max Brockman.

Em todos os meus livros, as anotações de minha mãe são as mais importantes, mas em *Despertar* minha dívida com ela é especial: o tempo que passei na Índia e Nepal quando estava na casa dos vinte — e em silêncio em vários centros de meditação pelo mundo — foi possível graças ao seu apoio. Ela também me deu o amor pelos livros, por isso é sempre um prazer especial lhe entregar mais um.

Como eu mencionei no texto, tive o privilégio de aprender com alguns extraordinários mestres de meditação: Tulku Urgyen Rinpoche, Nyoshul Khen Rinpoche, H. W. L. Poonja e Sayadaw U Pandita forneceram, cada um deles, uma peça crucial do quebra-cabeça. Sou grato também a Joseph Goldstein e Sharon Salzberg, por seus anos de amizade e pelos muitos meses de prática sob seu teto na Insight Meditation Society em Barre, Massachusetts.

Por fim, meu maior agradecimento é a Annaka, minha mulher e a melhor amiga possível. Escrever é uma das profissões mais solitárias, e tenho uma sorte imensa porque a mulher que amo também é editora e colaboradora em todos os meus projetos. Quando não está ocupada criando nossas filhas para se tornarem seres humanos compassivos — ou silenciando os berros de contrariedade que às vezes emanam do meu escritório —, Annaka inspira meus pensamentos para que eles enveredem por novas direções e melhorem na página. Eu não seria capaz de fazer o que faço sem ela.

Notas

1. ESPIRITUALIDADE [pp. 9-59]

1. Meu saudoso amigo Christopher Hitchens — nem um pouco inimigo do lexicógrafo — também não. Para Hitch, "espiritual" era um termo que não podíamos dispensar. É verdade que ele não pensava na espiritualidade exatamente como eu. Referia-se aos prazeres espirituais proporcionados por certas obras de poesia, música e artes visuais. A simetria e a beleza do Partenon incorporavam esse feliz extremo para ele — sem nenhuma necessidade de admitir a existência da deusa Atena e muito menos de ser devoto de seu culto. Hitch também usava os termos "sublime" e "transcendente" para assinalar situações de grande beleza e significado, e para ele o Campo Profundo do Hubble era um exemplo de ambos. (Tenho certeza de que ele percebia que excursões pedantes ao *Oxford English Dictionary* também produziriam constrangimentos etimológicos em torno dessas palavras.) Carl Sagan era outro que usava livremente o termo "espiritual" com esse sentido. (Ver Carl Sagan, *The Demon-Haunted World*. Nova York: Random House, 1995, p. 29 [Ed. bras.: *O mundo assombrado pelos demônios*, São Paulo: Companhia das Letras, 2014].)

Não discordo de Hitch e Sagan quando usam genericamente o termo "espiritual" para indicar algo como "beleza ou significado que despertam reverência e assombro", mas acredito que também podemos usar a palavra em um sentido mais restrito, e, na verdade, mais transformador do ponto de vista pessoal.

2. Aldous Huxley, *The Perennial Philosophy: An Interpretation of the Great Mystics, East and West*. Nova York: Harper Perennial, [1945] 2009, p. vii. [Ed.

bras.: *A filosofia perene: Uma interpretação dos grandes místicos do Oriente e do Ocidente.* Rio de Janeiro: Globo, 2010.]

3. É possível falar sobre o judaísmo sem seus mitos e milagres — e até sem Deus —, mas isso não torna o judaísmo equivalente ao budismo. Este, sem os detalhes injustificados, é em essência uma ciência de primeira pessoa. O judaísmo secular, não.

4. Andrew Rawlinson, *The Book of Enlightened Masters.* Chicago: Open Court, 1997, p. 38.

5. Para um relato interessante sobre a carreira de Blavatsky, ver Peter Washington, *Madame Blavatsky's Baboon.* Nova York: Schocken, 1993.

6. É de admirar que um charlatão como L. Ron Hubbard tenha arregimentado seguidores, já que cada história sobre ele é mais absurda e constrangedora que a anterior. Hubbard disse, por exemplo, que mandou recolher um de seus primeiros livros depois da publicação "'porque as seis primeiras pessoas que o leram ficaram tão abaladas com as revelações que perderam a cabeça'" (Lawrence Wright, *A prisão da fé: Cientologia, celebridades e Hollywood.* São Paulo: Companhia das Letras, 2013). Segundo Hubbard, quando ele entregou "esse texto perigoso a seu editor, 'o revisor entrou na sala com o manuscrito, deixou-o na mesa do editor e pulou pela janela do arranha-céu'".

Há muito mais motivos para rir à custa de Hubbard. No entanto, vários leitores que viram a versão original de sua nota de rodapé acharam tanta graça que precisaram ser hospitalizados. Infelizmente, fui forçado a retirar o texto em atenção à saúde dos meus leitores.

7. Arthur Koestler, *The Lotus and the Robot.* Nova York: Harper & Row, 1960, p. 285. Koestler também não se impressionou com a eficácia espiritual das drogas psicodélicas. Ver Koestler, "Return Trip to Nirvana", in: *Drinkers of Infinity: Essays 1955-1967.* Londres: Hutchinson, 1968, pp. 201-12.

8. Christopher Hitchens, "His Material Highness". Salon.com, 1998.

9. Os puristas garantirão que existem diferenças importantes entre as várias escolas do budismo e entre o budismo e a tradição do Advaita Vedanta criada por Shankara (788-820). Embora eu mencione de passagem algumas distinções, não as considero excessivamente importantes. A meu ver, as diferenças são, de modo geral, uma questão de ênfase, semântica e metafísica (irrelevante) — e esotéricas demais para interessar o leitor comum.

10. São bem esparsos os estudos sobre respostas patológicas à meditação. Tradicionalmente, acredita-se que certos estágios do caminho contemplativo são, por natureza, desagradáveis, portanto, algumas formas de dor mental devem ser consideradas sinais de progresso. Contudo, parece claro que a meditação também pode precipitar ou desmascarar doenças mentais. Como em muitas

outras práticas, pode ser difícil distinguir o útil do danoso em cada caso. Que eu saiba, Willoughby Britton é o primeiro cientista a estudar sistematicamente esse problema.

11. Pense na sensação de tocar seu nariz com o dedo. Experimentamos o contato como simultâneo, mas sabemos que ele não pode ser simultâneo para o cérebro, porque o impulso nervoso demora mais para viajar do dedo ao córtex sensorial que do nariz ao córtex sensorial — o que é verdade por mais que seu braço seja curto e seu nariz, comprido. Nosso cérebro compensa a discrepância de tempo retendo essas informações na memória e depois enviando o resultado para a consciência. Assim, nossa experiência do momento presente é produto de memórias estratificadas.

12. Fadel Zeidan et al., "Brain Mechanisms Supporting the Modulation of Pain by Mindfulness Meditation". *Pain,* v. 31, pp. 5540-48, 2011; Britta K. Hölzel et al., "How Does Mindfulness Meditation Work? Proposing Mechanisms of Action from a Conceptual and Neural Perspective". *Perspectives on Psychological Science,* v. 6, pp. 537-59, 2011; B. Kim et al., "Effectiveness of a Mindfulness-Based Cognitive Therapy Program as an Adjunct to Pharmacotherapy in Patients with Panic Disorder". *Journal of Anxiety Disorders,* v. 24, n. 6, pp. 590-95, 2010; Karen A. Godfrin e Cornelis van Heeringen, "The Effects of Mindfulness-Based Cognitive Therapy on Recurrence of Depressive Episodes, Mental Health and Quality of Life: A Randomized Controlled Study". *Behaviour Research and Therapy,* v. 48, n. 8, pp. 738-46, 2010; Fadel Zeidan, Susan K. Johnson, Bruce J. Diamond, Zhanna David e Paula Goolkasian, "Mindfulness Meditation Improves Cognition: Evidence of Brief Mental Training". *Consciousness and Cognition,* v. 19, n. 2, pp. 597-605, 2010; Britta K. Hölzel et al., "Mindfulness Practice Leads to Increases in Regional Brain Gray Matter Density". *Psychiatry Research,* v. 191, n. 1, pp. 36-43, 2011.

13. Nanamoli, trad. orig., e Bodhi, trad. e org. *The Middle Length Discourses of the Buddha: A New Translation of the Majjhima Nikaya.* Boston: Wisdom Publications, 1995.

14. A despeito de como se delimite o conceito de iluminação, não é possível escapar ao fato de que as interpretações mais tradicionais, budistas ou não, atribuem uma variedade de poderes sobrenaturais a adeptos espirituais. Existe alguma evidência de que seres humanos sejam capazes de adquirir clarividência e telecinesia? Salvo por relatos de pessoas ávidas para acreditar em poderes assim, podemos dizer que as evidências são raríssimas. Tradicionalmente, gurus e seus devotos procuram satisfazer os dois lados: o guru exibe vários *siddhis* ("poderes", em sânscrito) para entreter e persuadir os fiéis — mas nunca de modo a satisfazer os testes dos verdadeiros céticos. Sempre nos dizem que fazer milagres

sob encomenda seria um uso equivocado e grosseiro da função de guru. O *Dharma* ("caminho" ou "verdade" em sânscrito), afinal de contas, é mais precioso e profundo que os poderes mundanos. Sem dúvida. Mas isso não impede que a maioria dos gurus reivindique sua autoria, ou que seus devotos os atribuam a eles, toda vez que ocorrem coincidências aleatórias.

15. Matthieu Ricard, *Happiness: A Guide to Developing Life's Most Important Skill.* Nova York: Little, Brown, 2007, p. 19. [Ed. bras.: *Felicidade: A prática do bem-estar*. São Paulo: Palas Athena, 2012.]

2. O MISTÉRIO DA CONSCIÊNCIA [pp. 60-89]

1. Thomas Nagel, "What is Like to Be a Bat?". *Philosophical Review,* v. 83, 1974.

2. Seria possível argumentar que essa ideia de "trocar de lugar" é muito confusa, mas a noção de Nagel de que a consciência é idêntica à experiência subjetiva não o é.

3. É verdade que alguns filósofos e neurocientistas vão querer se deter bem aqui. Daniel Dennett, com quem concordo em muitas coisas, me disse que se não sou capaz de imaginar a falsidade de uma afirmação como "Ou as luzes estão acesas, ou não estão" é porque não me esforço o suficiente. Contudo, em uma questão rudimentar como a ontologia da consciência, o debate muitas vezes se reduz a intuições incompatíveis. Embora eu vá me empenhar ao máximo para analisar minha intuição de que a afirmação acima não pode ser falsa, chega um momento em que é preciso admitir que não sabemos do que nosso oponente está falando.

4. O quadro não muda (muito) se você é um dualista que acredita que o cérebro só é consciente porque a consciência foi inserida nele de algum modo. O dualismo tem muitos problemas, mas até um dualista deve concordar que a consciência parece estar associada apenas a organismos de suficiente complexidade. Dualista ou não, uma pessoa não tem nenhuma razão inelutável para acreditar que existe algo que seja como ser um tomate.

5. Dizer que uma criatura é consciente, portanto, não é fazer uma afirmação acerca de seu comportamento ou de seu uso da linguagem, porque podemos encontrar exemplos tanto de comportamento como de linguagem sem consciência (um robô primitivo), quanto de consciência sem comportamento nem linguagem (uma pessoa que sofre da "síndrome do encarceramento"). Obviamente, é possível que alguns robôs sejam conscientes — e se a consciência é o gênero de coisa que surge somente em virtude do processamento de informa-

ções, telefones celulares e cafeteiras talvez sejam conscientes. Mas poucos de nós imaginam que exista algo como ser até mesmo o mais avançado dos computadores. Seja qual for sua relação com o processamento de informações, a consciência é uma realidade interna que não pode ser avaliada pelo lado de fora e não precisa estar associada ao comportamento ou à capacidade de resposta a estímulos. Se você duvida, leia *The Diving Bell and the Butterfly* (*1997*) [Ed. bras.: *O escafandro e a borboleta*. São Paulo: WMF Martins Fontes, 2009], o assombroso e comovente relato de Jean Dominique-Bauby sobre sua "síndrome do encarceramento", que ele ditou por meio de sinais transmitidos a uma enfermeira com a pálpebra esquerda. Tente, então, imaginar o sofrimento dele se até mesmo esse pequeno grau de controle motor lhe fosse negado.

6. É provável que Descartes tenha sido o primeiro filósofo ocidental a defender esse argumento, mas outros continuaram a enfatizá-lo, notavelmente os filósofos John Searle e David Chalmers. Discordo do dualismo de Descartes e de algumas coisas que Searle e Chalmers disseram acerca da natureza da consciência, mas concordo que a realidade subjetiva da consciência é fundamental e indiscutível. Isso não exclui a possibilidade de que a consciência seja, de fato, idêntica a certos processos cerebrais.

Devo dizer, uma vez mais, que alguns filósofos, como Daniel Dennett e Paul Churchland, não aceitam essa ideia. Mas eu não entendo por quê. Uma vez que não vejo como a consciência poderia ser uma ilusão, eu não compreendo por que eles (ou qualquer outro) pensam que ela possa sê-lo. Concordo que podemos estar muito enganados sobre a consciência — sobre como ela surge, sobre sua conexão com o cérebro, sobre do que, precisamente, somos cônscios e quando o somos. Mas isso não equivale a dizer que a própria consciência possa ser ilusória. O estado de total confusão sobre a natureza da consciência é, por si mesmo, uma demonstração de consciência.

7. "A substância do mundo é substância mental." Arthur S. Eddington, *The Nature of the Physical World*. Cambridge, Reino Unido: Cambridge University Press, 1928, p. 276.

"Parece que o velho dualismo de mente e matéria [...] provavelmente desaparecerá [...] com a matéria substancial se transformando em uma criação e manifestação da mente." James Jeans, *The Mysterious Universe*. Cambridge, Reino Unido: Cambridge University Press, 1930, p. 158.

"O único ponto de vista aceitável parece ser aquele que reconhece os dois lados da realidade — o quantitativo e o qualitativo, o físico e o psíquico — como compatíveis entre si, e pode aceitá-los simultaneamente." Wolfgang Pauli, Charles P. Enz e Karl von Meyen, *Writings on Physics and Philosophy*. Nova York: Springer-Verlag, 1994 [1955], p. 259.

"A concepção da realidade objetiva das partículas elementares, portanto, evaporou não na nuvem de algum novo conceito obscuro de realidade, mas na clareza transparente de uma matemática que não representa mais o comportamento da partícula, mas nosso conhecimento desse comportamento." Werner Heisenberg, "The Representation of Nature in Contemporary Physics", *Daedalus,* v. 87 (Summer), 1958, p. 100.

"Não vemos absolutamente como eventos materiais podem ser transformados em sensação e pensamento, por mais que muitos livros didáticos [...] continuem a falar bobagens sobre o tema." Erwin Schrödinger, *My View of the World.* Trad. de Cecily Hastings. Cambridge, Reino Unido: Cambridge University Press, 1964, pp. 61-2.

8. Freeman Dyson, "The Conscience of Physics". *Nature,* v. 420 (12 de dezembro), 2002, pp. 607-8.

9. Sou grato a meu amigo, o físico Lawrence Krauss, por esclarecer vários desses conceitos.

10. Se nós procurarmos pela consciência no mundo físico, encontraremos apenas sistemas complexos que geram comportamento complexo — o que pode ser ou não acompanhado de consciência. O fato de que o comportamento de outros seres humanos nos convence de que eles são conscientes (mais ou menos) não nos deixa mais próximos de associar a consciência a eventos físicos. Uma estrela-do-mar é consciente? Parece claro que não avançaremos na questão recorrendo a analogias entre o comportamento da estrela-do-mar e o nosso. Somente na presença de animais parecidos o suficiente conosco as nossas intuições sobre a consciência (e as atribuições de consciência a outro ser) começam a se cristalizar. Existe algo que seja como ser um cocker spaniel? Ele sente dores e prazeres? Sem dúvida tem de sentir. Como sabemos? Comportamento e analogia.

Alguns cientistas e filósofos adquiriram a impressão equivocada de que é sempre mais parcimonioso negar do que atribuir consciência a animais inferiores. Procurei mostrar em outro texto que isso não é válido (Sam Harris, *The End of Faith: Religion, Terror, and the Future of Reason.* Nova York: Norton, 2004, pp. 276-7) [Ed. port.: *O fim da fé.* Lisboa: Tinta da China, 2007]. Negar a consciência a chimpanzés, por exemplo, é assumir o ônus de explicar *por que* sua semelhança genética, neuroanatômica e comportamental conosco seria uma base insuficiente para a consciência. (Boa sorte.)

11. Parece impossível conceber adequadamente a ideia de que a consciência é idêntica a uma certa classe de eventos físicos inconscientes (ou que teria emergido deles) — o que equivale a dizer que podemos pensar que estamos pensando isso, mas provavelmente estamos enganados. Podemos dizer as palavras certas: "A consciência emerge do processamento inconsciente de informações".

Também podemos dizer: "Alguns quadrados são tão redondos quanto círculos" e "2 mais 2 é igual a 7". Mas nós estamos realmente pensando essas coisas ao longo de todo o processo? Não creio.

12. Joseph Levine, "Materialism and Qualia: The Explanatory Gap". *Pacific Philosophical Quarterly*, v. 64, 1983.

13. David J. Chalmers, *The Conscious Mind: In Search of a Fundamental Theory*. Nova York: Oxford University Press, 1996.

14. Essa manobra tem antecedentes no "monismo neutro" (termo usado por Russell) de James e Mach. É uma ideia com a qual concordo substancialmente. Eis o que Nagel diz sobre o assunto:

> Qual seria o ponto de vista, por assim dizer, de uma teoria como essa? Se nós pudéssemos formulá-la, ela tornaria transparente a relação entre mental e físico, não de um modo direto, mas através da transparência da relação comum dessas duas esferas com algo que não é somente nem uma coisa, nem outra. Nem o ponto de vista mental nem o físico servirão a esse propósito. O mental não servirá porque deixa de fora a fisiologia e não tem lugar para ela. O físico não servirá porque, embora inclua as manifestações comportamentais e funcionais do mental, isso não nos permite que, dada a falsidade do reducionismo conceitual, cheguemos aos próprios conceitos mentais. [...] A dificuldade está no fato de que esse ponto de vista não pode ser construído pela mera conjunção do mental e do físico. Ele também precisa ser algo genuinamente novo, do contrário não possuirá a unidade necessária. [...] Uma concepção assim terá de ser criada; não a encontraremos por aí. Todos os grandes êxitos redutivos na história da ciência dependeram de conceitos teóricos, não naturais — conceitos cuja justificação está no fato de nos permitirem substituir correlações brutas por explicações redutivas. No presente, uma solução assim para o problema mente-corpo é literalmente inimaginável, mas pode não ser impossível. (Thomas Nagel, "Conceiving the Impossible and the Mind-Body Problem", *Philosophy*, v. 73, n. 285, pp. 337-52, 1998.)

15. John R. Searle, *The Rediscovery of the Mind*. Cambridge, MA: MIT Press, 1992; idem, "Dualism Revisited". *Journal of Physiology Paris*, v. 101, n. 4-6, 2007; idem, "How to Study Consciousness Scientifically", *Philosophical Transactions of the Royal Society B: Biological Sciences*, v. 353, n. 1377, 1998.

16. Jaegwon Kim, "The Myth of Nonreductive Materialism". In: *Supervenience and Mind*. Cambridge, Reino Unido: Cambridge University Press, 1993.

17. Colin McGinn, "Can We Solve the Mind-Body Problem?". *Mind*, v. 98, 1989; idem, *The Mysterious Flame: Conscious Minds in a Material World*. Nova York: Basic Books, 1999. Steven Pinker também concorda com McGinn: Steven Pinker, *How the Mind Works*. Nova York: Norton, 1997, pp. 558-65 [Ed. bras.: *Como a mente funciona*. São Paulo: Companhia das Letras, 1998]. É isso, mais ou menos, que Thomas Nagel conclui, embora ele se considere menos pessimista do que McGinn: Nagel, "Conceiving the Impossibile and the Mind-Body Problem".

18. Seja qual for sua relação com o mundo físico, a consciência parece ser irredutível conceitualmente, porque toda tentativa de definir *consciência* ou seus substitutos (senciência, *percepção de si mesmo*, subjetividade) nos leva a um círculo lexical. Um dos maiores obstáculos para se entender a consciência provavelmente espreita aqui: se existe uma definição adequada, não circular, de consciência, ninguém a encontrou. O mesmo se pode dizer sobre qualquer ideia que seja verdadeiramente básica para nosso pensamento. Convido o leitor a tentar definir a palavra "causação" em termos não circulares. Em consequência, muitos filósofos e cientistas mudam de assunto toda vez que a discussão envereda para questões sobre a consciência — fundindo-a com atenção, autopercepção, estado de vigília, responsividade a estímulos ou algum outro aspecto da cognição mais fácil de trabalhar e menos fundamental. Muitas vezes as digressões são inadvertidas e raramente têm em vista uma definição redutiva de "consciência". Quando o fazem, como no caso do behaviorismo (analítico), sempre parecem falsas e baseadas em um pressuposto não fundamentado.

19. Quer se fale em "atividade coerente de 40-Hz em vias tálamo-corticais" (Rodolfo Llinas, *I of the Vortex: From Neurons to Self*. Cambridge, MA: MIT Press, 2001; Rodolfo Llinas et al. "The Neuronal Basis for Consciousness". *Philosophical Transactions of the Royal Society of London: Serie B Biological Sciences,* v. 353, n. 1377, 1998); "integrações transregionais de atividade neural" envolvendo a formação reticular do tronco encefálico, o tálamo e os córtices somatossensitivo e cingulado (Antonio Damasio, *The Feeling of What Happens: Body and Emotion in the Making of Consciousness.* Nova York: Harcourt Brace, 1999 [Ed. bras.: *O mistério da consciência: Do corpo e das emoções ao conhecimento de si.* São Paulo: Companhia das Letras, 2000]); "atividade reentrante seletiva de grupos de neurônios no núcleo [talamocortical]" (Gerald M. Edelman, *Second Nature: Brain Science and Human Knowledge.* New Haven, Connecticut: Yale University Press, 2006); "oscilações quantum-coerentes em microtúbulos" (Roger Penrose, *Shadows of the Mind.* Oxford: Oxford University Press, 1994); "as interações de componentes modulares especializados em uma rede neural distribuída" (Jeffrey W. Cooney e Michael S. Gazzaniga, "Neurological Disorders and the Structure of Human Consciousness". *Trends in Cognitive Sciences*, v. 7, n. 4, 2003); ou em algum outro estado físico ou funcional.

20. Para perceber o impasse com mais clareza, talvez seja útil considerar uma explicação neurocientífica da consciência que se desenrola com a costumeira desconsideração ingênua por esse terreno filosófico. Os neurocientistas Gerald Edelman e Giulio Tononi afirmam que é a "integração" intrínseca, ou a unidade, da consciência que nos dá a melhor indicação de seu caráter físico. Para eles, consciência é um "processo neural unificado" nascido de "sinalização contínua, recursiva, altamente paralela dentro de e entre áreas cerebrais". (Ge-

rald M. Edelman e Giulio Tononi, *A Universe of Consciousness: How Matter Becomes Imagination.* Nova York: Basic Books, 2002; Giulio Tononi e Gerald M. Edelman, "Consciousness and Complexity". *Science,* v. 282, n. 5395, 1998.) Ao explicarem por que as atividades altamente sincrônicas de convulsões generalizadas e do sono de ondas lentas não são suficientes para a consciência, os autores fornecem outro critério: o "repertório de estados neurais diferenciados" tem de ser grande, e não pequeno. A consciência, portanto, é intrinsecamente "integrada" e "diferenciada". O fato de ser possível dizer que, no decorrer de uma escala de tempo longa, o cérebro inteiro apresenta essas características requer outra ressalva — porque o cérebro como um todo não pode ser o lócus da consciência. Assim, os autores declaram que essa integração e diferenciação têm de ocorrer em uma janela de algumas centenas de milissegundos. Esses critérios, juntos, constituem sua "hipótese do núcleo dinâmico".

Tononi e Edelman realizaram estudos fascinantes de neurociência, mas suas pesquisas demonstram que quaisquer resultados empíricos parecem desoladores quando confrontados com o mistério da consciência. O problema é que esse tipo de trabalho não faz nada para tornar compreensível o surgimento da consciência. Embora seja provável que Tononi e Edelman estejam cientes desse fato, ainda assim eles anunciam, para quem quiser ouvir, que "uma explicação científica da consciência vem se tornando cada vez mais viável". (Giulio Tononi e Gerald M. Edelman, 1998, p. 1850.)

Por que a diferença entre consciência e inconsciência seria questão de "um processo neural distribuído que é altamente integrado e altamente diferenciado"? E por que o tempo da integração deveria estar na casa de algumas centenas de milissegundos? E se fosse de algumas centenas de anos? E se processos geológicos distribuídos levassem ao surgimento de consciência? Suponhamos que isso ocorra, só para prosseguirmos na argumentação. Isso não explicaria como a consciência surge. Seria praticamente um milagre se a simples integração e diferenciação entre processos na Terra bastasse para tornar o planeta consciente. O encadeamento entre sincronia neural e consciência é mais inteligível do que isso? Não — salvo pelo fato de que já sabemos que somos conscientes.

Considere algumas outras possibilidades para o surgimento da consciência: digamos que existe algo que seja como ser um recife de coral golpeado por ondas de precisamente 0,5 hertz; que existe algo que seja como ser uma rajada de vento de duzentos quilômetros por hora destruindo um estacionamento de trailers (mas somente se os trailers forem feitos apenas de alumínio); que exista algo que seja como ser a soma de todas as resoluções de Ano-Novo não cumpridas. Como esses diversos "cérebros" poderiam levar ao surgimento de consciência? Não temos a menor ideia. No entanto, se nós estipularmos que eles o fazem, seus poderes não são menos compreensíveis que os do cérebro que temos na cabeça. Mas é claro que eles não são compreensíveis — e esse é o problema da consciência.

21. Citado em Carl Sagan, *The Demon-Haunted World: Science as a Candle in the Dark*. Nova York: Random House, 1995, p. 272 [Ed. bras.: *O mundo assombrado pelos demônios*. São Paulo: Companhia das Letras, 2014].

22. Essa distinção era óbvia para muitos pensadores antes mesmo que o vitalismo fosse desacreditado. Charlie D. Broad (1925) sintetizou isso com admirável precisão:

> O único tipo de evidência que já tivemos para acreditar que uma coisa está viva é que ela se comporta de certos modos característicos. Por exemplo, ela se move espontaneamente, come, bebe, digere, cresce, se reproduz e assim por diante. Ora, todas essas são apenas ações de um corpo sobre outros corpos. Não parece haver razão alguma para supor que "estar vivo" signifique qualquer coisa mais do que exibir essas várias formas de comportamento corporal. [...] Mas a posição em relação à consciência decerto parece ser muito diferente. É verdade que uma parte essencial de nossas evidências para acreditar que qualquer coisa salvo nós mesmos possui uma mente e tem tais e tais experiências é que ela executa certos movimentos corporais característicos em determinadas situações. [...] Mas é óbvio que nossa observação do comportamento de corpos externos não é nossa base única ou principal para declarar a existência de mentes e processos mentais. E me parece igualmente óbvio que, quando dizemos "ter uma mente", nós não queremos dizer apenas "se comportar de tais e tais modos". (Citado em Ansgar Backermann, "The Reductive Explainability of Phenomenal Consciousness". In: Thomas Metzinger (Org.), *Neural Correlates of Consciousness: Empirical and Conceptual Questions*. Cambridge, MA: MIT Press, 2000, p. 49).

23. Outro modo de enunciar a questão é dizer que se, como creem todos os fisicalistas, há uma conexão necessária entre o físico e o fenomênico, não seria de esperar que nós víssemos evidências disso, com exceção da confiabilidade da própria correlação. Se nos dizem que o estado fenomênico X é, na realidade, o estado cerebral Y, nós temos de perguntar: "Em virtude de que essa identidade é verdadeira?" A resposta tem de ser que não se pode encontrar X sem Y ou Y sem X. No entanto, isso exige a admissão de dois outros fatos: a identidade só pode ser estabelecida em virtude de correlações empíricas, e o termo fenomênico não é, de modo algum, subordinado, quando se trata de definir o que é um estado, a seu correlato físico. Como disse Donald Davidson, "se alguns eventos mentais são eventos físicos, isso não os torna mais físicos do que mentais. A identidade é uma relação simétrica". (Donald Davidson, "Knowing One's Own Mind". *Proceedings and Addresses of the American Philosophical Association*, v. 61, 1987.) O estado cerebral Y é identificável como estado fenomênico Y apenas em virtude de sua associação a X.

O problema se complica ainda mais porque os correlatos neurais de estados conscientes parecem propensos a ser uma classe de eventos muito mais heterogênea do que indiquei. Isso traz a questão da *múltipla realizabilidade:* a possibilidade de estados físicos diferentes serem capazes de produzir consciência. Descobrir que um desses estados (ou classe de estados) se correlaciona de modo confiável com a consciência não revela necessariamente alguma coisa a respeito das possibilidades de consciência em outros sistemas físicos. A realizabilidade múltipla é problemática em particular para toda teoria que procure reduzir a consciência a um tipo específico de estado cerebral (isto é, toda teoria da consciência baseada na "identidade tipo-tipo"). Em termos neuroanatômicos, sabemos que uma forma limitada de realizabilidade múltipla tem de ser verdadeira, porque espécies diferentes de aves e mamíferos executam muitas das mesmas operações cognitivas com arquiteturas neuronais que diferem em graus importantes. Obviamente, é concebível que apenas seres humanos sejam conscientes, ou que a consciência possa ser representada exatamente nos mesmos circuitos neurais em cérebros dessemelhantes — mas as duas proposições me parecem demasiado duvidosas.

Seja qual for o viés ontológico que se adote, a importância da correlação depende de se acreditar que existe uma ligação causal (quando não uma identidade) entre estados físicos e experiência subjetiva. No entanto, a própria correlação é a única base para se estabelecer a ligação. Não se trata apenas de uma *angst* humana com respeito à causação: somos cegos para as causas físicas de eventos fenomênicos em um grau muito maior do que somos cegos para as causas físicas de eventos físicos. De fato, o ceticismo de Hume quanto ao nosso conhecimento da causação não envelheceu muito bem. Até os ratos parecem intuir ligações causais além de simples correlações. Também é possível argumentar que a nossa capacidade de distinguir eventos individuais em uma sequência temporal, ou de agrupar eventos em categorias, é produto de raciocínio causal (Ver Michael R. Waldmann, York Hagmayer e Aaron P. Blaisdell, "Beyond the Information Given: Causal Models in Learning and Reasoning". *Current Directions in Psychological Science*, v. 15, n. 6, 2006; Marc J. Buehner e Patricia W. Cheng, "Causal Learning", in: Keith J. Holyoak e Robert G. Morrison (Orgs.), *The Cambridge Handbook of Thinking and Reasoning.* Nova York: Cambridge University Press, 2005). Quando quebro um lápis, a força que minhas mãos aplicam nele e a quebra subsequente estão correlacionadas, mas não apenas isso. Há muito o que dizer a respeito da microestrutura do lápis que o torna quebrável, e, portanto, torna inteligível a correlação observada. Com a consciência, no entanto, a ligação parece ser irracional. Como observaram Chalmers e outros, a questão permanece: por que tais eventos no cérebro seriam *vivenciados?* (David J. Chalmers, "The Puzzle of Conscious Experience". *Scientific American*, v. 273, n. 6, 1995; Chalmers, *The Conscious Mind*; David J. Chalmers, "Moving Forward on the Problem of Conscience". *Journal of Consciousness Studies,* v. 4, n. 1, 1997). Mas isso não impede que neurocientistas e filósofos tentem simplesmente martelar analogias explanatórias que não se encaixam bem.

24. Wolf Singer, "Neuronal Synchrony: A Versatile Code for the Definition of Relations?". *Neuron,* v. 24, n. 1, 1999.

25. Para dúvidas sobre essa questão, ver Michael N. Shadlen e J. Anthony Movshon, "Synchrony Unbound: A Critical Evaluation of the Temporal Binding Hypothesis". *Neuron,* v. 24, n. 1, 1999.

26. Prinz também observa que a ligação e a consciência são totalmente dissociáveis. Jesse Prinz, "Functionalism, Dualism and Consciousness". In: William Bechtel et al., *Philosophy and the Neurosciences.* Oxford: Blackwell, 2001.

27. Alex Polonsky et al., "Neuronal Activity in Human Primary Visual Cortex Correlates with Perception During Binocular Rivalry". *Natural Neuroscience,* v. 3, n. 11, 2000; Geraint Rees, Gabriel Kreiman e Christof Koch, "Neural Correlates of Consciousness in Humans". *Nature Reviews Neuroscience,* v. 3, n. 4, 2002; Francis Crick e Christof Koch, "Consciousness and Neuroscience". *Cerebral Cortex,* v. 8, 1998; Francis Crick e Christof Koch, "The Unconscious Homunculus", in: Thomas Metzinger (Org.), *The Neural Correlates of Consciousness.* Cambridge, MA: MIT Press, 1999; Francis Crick e Christof Koch, "A Framework for Consciousness". *Natural Neuroscience,* v. 6, n. 2, 2003; John-Dylan Haynes, "Decoding Visual Consciousness from Human Brain Signals". *Trends in Cognitive Sciences,* v. 13, n. 5, 2009.

28. Estatísticas disponíveis em: <www.gallup.com>.

29. Glenda M. Bogen e Joseph E. Bogen, "On the Relationship of Cerebral Duality to Creativity". *Bulletin of Clinical Neuroscience,* v. 51, 1986.

30. Joseph E. Bogen, Roger W. Sperry e Phillip J. Vogel, "Addendum: Commissural Section and Propagation of Seizures". In: Jasper et al. (Orgs.), *Basic Mechanisms of the Epilepsies.* Boston: Little, Brown, 1969; Eran Zaidel, Marco Iacoboni, Dahlia Zaidel e Joseph E. Bogen, "The Callosal Syndromes". In: *Clinical Neuropsychology.* Oxford: Oxford University Press, 2003; Eran Zaidel, Dahlia W. Zaidel e Joseph Bogen, "The Split Brain". Disponível em: <www.its.caltech.edu/~jbogen/text/ref130.htm>, [s.d.].

31. Michael S. Gazzaniga, Joseph E. Bogen e Roger W. Sperry, "Observations on Visual Perception after Disconnexion of the Cerebral Hemispheres in Man". *Brain,* v. 88, n. 2, 1965; Roger W. Sperry, "Cerebral Organization and Behavior: The Split Brain Behaves in Many Respects Like Two Separate Brains, Providing New Research Possibilities". *Science,* v. 133, n. 3466, 1961; Roger W. Sperry, "Hemisphere Deconnection and Unity in Conscious Awareness". *American Psychologist,* v. 23, n. 10, 1968; Roger W. Sperry, Eran Zaidel e Dahlia Zaidel, "Self

Recognition and Social Awareness in the Disconnected Minor Hemisphere". *Neuropsychologia*, v. 17, n. 2, 1979.

32. Roger Sperry, "Some Effects of Disconnecting the Cerebral Hemispheres. Nobel Lecture, 8 December 1981". *Bioscience Reports*, v. 2, n. 5, 1982.

33. Ronald E. Myers e Roger W. Sperry, "Interhemispheric Communication through the Corpus Callosum: Mnemonic Carry-over between the Hemispheres". *American Medical Association Archives of Neurology and Psychiatry*, v. 80, n. 3, 1958; Sperry, "Cerebral Organization and Behavior".

34. Michael S. Gazzaniga, Joseph E. Bogen e Roger W. Sperry, "Some Functional Effects of Sectioning the Cerebral Commissures in Man". *Proceedings of the National Academy of Sciences of the USA*, v. 48, 1962.

35. Zaidel et al., "The Callosal Syndromes"; Zaidel, Zaidel e Bogen, "The split Brain".

36. Karl R. Popper e John C. Eccles, *The Self and Its Brain*. Londres: Routledge, [1977] 1993.

37. Ver Charles E. Marks, *Commissurotomy, Consciousness, and the Unity of Mind*. Montgomery, Vermont: Bradford Books, 1980; Joseph E. Bogen, "Does Cognition in the Disconnected Right Hemisphere Require Right Hemisphere Possession of Language?". *Brain and Language*, v. 57, n. 1, 1977.

38. Tor Nørretranders, *The User Illusion: Cutting Consciousness Down to Size*. Nova York: Viking, 1998.

39. Victor Mark, "Conflicting Communicative Behavior in a Split-Brain Patient: Support for Dual Consciousness". In: Stuart Hamerof, Alfred W. Kaszniak e Alwyn C. Scott (Orgs.), *Toward a Science of Consciousness: The First Tucson Discussions and Debates*. Cambridge, MA: MIT Press, 1996.

40. Sperry, "Some Effects of Disconnecting the Cerebral Hemispheres".

41. Jörg J. Schmitt, Wolfgang Hartje e Klaus Willmes, "Hemispheric Asymmetry in the Recognition of Emotional Attitude Conveyed by Facial Expression, Prosody and Proposital Speech". *Cortex*, v. 33, n. 1, 1997.

42. James Blair, Derek R. Mitchell e Karina Blair, *The Psychopath: Emotion and the Brain*. Malden, MA: Blackwell, 2005.

43. A maioria dos estudos envolvidos se baseou no teste de Wada, no qual se injeta amobarbital de sódio na artéria carótida esquerda ou direita, anestesiando temporariamente o hemisfério do lado respectivo. Pesquisadores constataram que a anestesia do hemisfério esquerdo é muitas vezes associada à depressão, ao passo que a anestesia do direito pode levar à euforia. A literatura sobre o acidente vascular cerebral tende a corroborar essa lateralização do humor, correlacionando acidentes vasculares no hemisfério esquerdo com depressão, mas alguns estudos questionam essa interpretação. Ver Alan J. Carson et al, "Depres-

sion After Stroke and Lesion Location: A Systematic Review". *Lancet*, v. 356, n. 9224, 2000; David W. Desmond et al., "Ischemic Stroke and Depression". *Journal of the International Neuropsychological Society*, v. 9, n. 3, 2003.

Um estudo de cérebros normais mostra que emoções negativas como nojo, ansiedade e tristeza tendem a estar associadas à atividade do hemisfério direito, enquanto felicidade se associa à atividade no esquerdo. Contudo, talvez fosse melhor pensar nas assimetrias emocionais em termos de "aproximação" e "afastamento", porque a raiva, uma emoção classicamente negativa, também se correlaciona com atividade no hemisfério esquerdo. (Eddie Harmon-Jones, Philip A. Gable e Carly K. Peterson, "The Role of Asymmetric Frontal Cortical Activity in Emotion-Related Phenomena: A Review and Update". *Biological Psychology*, v. 84, n. 3, pp. 451-62, 2010).

A apresentação lateralizada de filmes sugere que o hemisfério direito responde mais ao seu conteúdo emocional, em particular se este for negativo. (Werner Wittling e Rupert Roschmann, "Emotion-Related Hemisphere Asymmetry: Subjective Emotional Responses to Laterally Presented Films". *Cortex*, v. 29, n. 3, 1993). O hemisfério direito também é mais rápido que o esquerdo para reconhecer a carga emocional de palavras individuais ("estúpido", "belo"), e em pessoas com depressão ele exibe um desempenho que privilegia palavras negativas. (R. A. Atchley, S. S. Ilardi e A. Enloe, "Hemispheric Asymmetry in the Processing of Emotional Content in Word Meanings: The Effect of Current and Past Depression". *Brain and Language*, v. 84, n. 1, 2003). O fato de que os primatas não possuem conexões diretas entre as amígdalas direita e esquerda (regiões nos lobos temporais que são particularmente sensíveis a eventos com significado emocional) sugere uma base anatômica para diferenças laterais de humor. (R. W. Doty, "The Five Mysteries of the Mind, and Their Consequences". *Neuropsychologia*, v. 36, n. 10, 1998). O papel da amígdala na vida emocional, em especial no que diz respeito ao medo, é muito bem estabelecido. (Joseph E. LeDoux, *Synaptic Self: How Our Brains Become Who We Are*. Nova York: Viking, 2002).

44. Popper e Eccles, *The Self and Its Brain*.

45. Zaidel, Zaidel e Bogen, "The Split Brain".

46. Myers e Sperry, "Interhemispheric Communication through the Corpus Callosum".

47. Bogen, "On the Relationship of Cerebral Duality to Creativity".

48. Roland Puccetti, "The Case for Mental Duality: Evidence from Split--Brain Data and Other Considerations". *Behavioral and Brain Sciences*, v. 4, pp. 93-123, 1981.

49. William James, *The Principles of Psychology*. Dover Publications, 1950 [1890], v. 1, p. 251.

50. Entretanto, como observa Dennett, pode ser difícil (ou impossível) distinguir o que foi vivenciado e depois esquecido do que nunca foi vivenciado. Veja sua discussão perspicaz que contrasta processos orwellianos e stalinescos na cognição: D. C. Dennett, *Consciousness Explained.* Boston: Little, Brown, 1991, pp. 116-25. A ambiguidade é atribuída, em grande medida, ao fato de que os conteúdos da consciência têm de ser integrados no decorrer do tempo — em torno de 100 a 200 milissegundos. (Crick e Koch, "A Framework for Consciousness".) Esse período de integração permite que a sensação de tocar um objeto e a percepção visual associada de tocá-lo — que surge objetivamente no córtex em tempos distintos — sejam sentidas como simultâneas. Portanto, a consciência depende do que em geral se denomina "memória de trabalho".

Muitos pesquisadores estabeleceram a associação: J. M. Fuster, *Cortex and Mind: Unifying Cognition.* Oxford: Oxford University Press, 2003; P. Thagard e B. Aubie, "Emotional Consciousness: A Neural Model of How Cognitive Appraisal and Somatic Perception Interact to Produce Qualitative Experience". *Consciousness and Cognition*, v. 17, n. 3, 2008; B. J. Baars e S. Franklin, "How Conscious Experience and Working Memory Interact". *Trends in Cognitive Sciences*, v. 7, n. 4, 2003. E o princípio é descrito em termos um pouco menos rigorosos pela noção de Edelman sobre a consciência como "o presente lembrado": Gerald M. Edelman, *The remembered present: A Biological Theory of Consciousness.* Nova York: Basic Books, 1989.

51. Lionel Naccache e Stanislas Dehaene, "Unconscious Semantic Priming Extends to Novel Unseen Stimuli". *Cognition,* v. 80, n. 3, 2001. Embora vários estudos indiquem que o estímulo subliminar tenha no mínimo de ser percebido: M. Finkbeiner e K. I. Foster, "Attention, Intention and Domain-Specific Processing". *Trends in Cognitive Sciences,* v. 12, n. 2, 2008.

52. Mathias Pessiglione et al., "How the Brain Translates Money into Force: A Neuroimaging Study of Subliminal Motivation". *Science,* v. 316, n. 5826, 2007.

53. Paul J. Whalen et al., "Masked Presentations of Emotional Facial Expressions Modulate Amygdala Activity Without Explicit Knowledge". *Journal of Neurosciences,* v. 18, n. 1, 1998; Lionel Naccache et al, "A Direct Intracranial Record of Emotions Evoked by Subliminal Words". *Proceedings of the National Academy of Sciences of the USA,* v. 102, n. 21, 2005.

54. Daniel L. Schacter, "Implicit Expressions of Memory in Organic Amnesia: Learning of New Facts and Associations. *Human Neurobiology,* v. 6, n. 2, 1987.

55. Larry R. Squire e R. McKee, "Influence of Prior Events on Cognitive Judgments in Amnesia". *Journal of Experimental Psychology: Learning Memory and Cognition,* v. 18, n. 1, 1992.

56. Margaret M. Keane et al., "Intact and Impaired Conceptual Memory Processes in Amnesia". *Neuropsychology*, v. 11, n. 1, 1997.

57. Outros fenômenos distinguem a consciência da nossa vida mental inconsciente. Por exemplo, certas pessoas apresentam uma condição chamada "visão cega", que resulta de lesão no córtex visual primário. No que diz respeito à experiência consciente, elas são cegas (ou cegas em certa região do campo visual), mas mesmo assim são capazes de descrever com precisão as propriedades visuais de objetos. Sentem que essa capacidade é pura adivinhação — porque, afinal de contas, elas não têm a experiência de enxergar — no entanto, são capazes de "adivinhar" com toda a correção. Veem sem saber que veem. (L. Weiskrantz, "Blindsight Revisited". *Current Opinion in Neurobiology*, v. 6, n. 2, 1996; L. Weiskrantz, "Prime-Sight and Blindsight". *Consciousness and Cognition*, v. 11, n. 4, 2002; L. Weiskrantz, "Is Blindsight Just Degraded Normal Vision?". *Experimental Brain Research*, v. 192, n. 3, 2008.)

58. Sam Harris, *The End of Faith*. Nova York: Norton, pp. 173-5, 2004 [Ed. port.: *O fim da fé*. Lisboa: Tinta da China, 2007]. Harris, *A paisagem moral: Como a ciência pode determinar os valores humanos*. São Paulo: Companhia das Letras, 2013.

3. O ENIGMA DO SELF [pp. 90-129]

1. Nanamoli, *Majjhima Nikaya: Culamalunkya Sutta*. Boston: Wisdom Publications, 1995, p. 534.

2. Às vezes se diz que a prática espiritual leva à experiência da "felicidade suprema" e que a consciência, em si, é inerentemente feliz. Como nós devemos interpretar isso? O termo "felicidade suprema" não é muito usado no discurso ocidental — e, caso alguém venha a ter a oportunidade de usá-lo, deixará seus ouvintes alertas de imediato. Até em referências ao sexo a palavra cheira a ostentação, como se quem a usa afirmasse algo inigualável sobre sua capacidade para o prazer. Um contemplativo que fala em "suprema felicidade espiritual" dá a impressão de se vangloriar por seu prazer, de se deleitar em frêmitos obscuros de seu sistema nervoso, e isso não engendra o respeito de ninguém a não ser dos que se locupletam pelos mesmos meios. Alguém capaz de passar horas, todo dia, absorto na felicidade suprema da meditação, parece mais um viciado em heroína ou um onanista que transcendeu o uso das mãos. Encontrar uma fonte de felicidade suprema em alguma parte do próprio sistema nervoso não pega bem.

Mas aqui é preciso testar uma afirmação empírica. O que se afirma é que a consciência, antes da representação do self, é intrinsecamente "feliz". Não se trata de uma excitação grosseira ou de um sentimento constante de alegria; existe uma nota de sentimento na consciência que, uma vez percebido, transmite a sensação de que ele permeia todos os aspectos da experiência. É por isso que se disse, nos ensinamentos do tantra budista e hinduísta, que "o desejo surge como felicidade suprema", porque isso é mesmo possível — caso o desejo seja reconhecido como mera inflexão da consciência. Obviamente, se o desejo não for reconhecido, mas apenas sentido, ele surge como um problema a ser solucionado pela aquisição de seu objeto. É nesse sentido que o desejo é descrito em geral como um obstáculo à meditação.

3. Derek Parfit, *Reasons and Persons.* Oxford: Clarendon Press, 1984, pp. 279-80.

4. O filósofo escocês David Hume, por exemplo, viu o problema com bastante clareza:

> Alguns filósofos imaginam que estamos, a cada momento, cônscios intimamente daquilo que chamamos de self; que sentimos sua existência e sua continuidade na existência; e eles estão certos, sem as evidências de uma demonstração, tanto de sua identidade perfeita como de sua simplicidade. [...] Infelizmente, todas as afirmações positivas são contrárias à própria experiência a que se referem; tampouco temos ideia alguma sobre o self, da maneira como ele é explicado aqui. Pois de que impressão essa ideia poderia ter derivado? [...] Se toda impressão faz surgir a ideia do self, a impressão tem de continuar invariavelmente a mesma, ao longo de toda a nossa vida, porque se supõe que o self exista daquela maneira. Entretanto, não há impressão constante e invariável. Dor e prazer, pesar e alegria, paixões e sensações se sucedem umas às outras e nunca existem todas ao mesmo tempo. Não é possível, portanto, que seja de uma dessas impressões, ou de qualquer outra, que derive a ideia do self; portanto, essa ideia não existe. [...] De minha parte, quando entro mais intimamente no que chamo de eu, sempre tropeço em uma ou outra percepção particular, de calor ou frio, luz ou sombra, amor ou ódio, dor ou prazer. Nunca sou capaz de me pegar em um momento sem percepção, e nunca consigo observar outra coisa que não seja percepção. Quando minhas percepções são suprimidas por certo tempo, por exemplo, durante um sono profundo, fico insensível a mim mesmo nesse período e se pode dizer verdadeiramente que eu não existo. E se todas as minhas percepções fossem suprimidas pela morte e eu não pudesse pensar, sentir, ver, amar, odiar após a dissolução do meu corpo, eu seria de todo aniquilado e não imagino o que mais poderia ser preciso para fazer de mim uma não entidade. Se alguém, depois de uma reflexão séria e imparcial, pensar que tem uma noção diferente de si mesmo, devo confessar que não sou mais capaz de argumentar com essa pessoa. Tudo o que posso admitir é que ela pode estar tão certa quanto eu, e que somos essencialmente diferentes nesse aspecto específico. Talvez ela possa perceber algo simples e contínuo que chama de eu; de minha parte, porém, tenho certeza de que em mim não existe esse princípio. (David Hume, *Treatise of Human Nature,* Livro 1, Seção 6).

5. Robert A. Emmons e Michael E. McCullough, "Counting Blessings Versus Burdens: An Experimental Investigation of Gratitude and Subjective Well-Being in Daily Life". *Journal of Personality and Social Psychology*, v. 84, n. 2, pp. 377-89, 2003.

6. Nem preciso dizer que peguei minhas coisas assim que amanheceu e fui à procura de outro hotel. Quando fazia o *check-in,* descrevi minhas provações da madrugada ao recepcionista, pensando que ele se divertiria ao saber como as coisas iam mal sob o teto de um concorrente: *O rato não apenas estava no meu quarto, mas estava na cama, debaixo das cobertas.* O homem ficou calado por um longo momento, com ar um pouco entediado. Comecei a me perguntar se me enganara quanto à sua compreensão do inglês. "Também temos ratos", ele disse, e me entregou a chave.

7. Tulku Urgyen Rinpoche, *Raibow Painting.* Hong Kong: Rangjung Yeshe Publications, 2004, p. 53.

8. Matthew Botvinick e Jonathan Cohen, "Rubber Hands 'Feel' Touch That Eyes See". *Nature,* v. 391, n. 6669, p. 756, 1998.

9. Valeria I. Petkova e H. Henrik Ehrsson, "If I Were You: Perceptual Illusion of Body Swapping". *PloS One,* v. 3, n. 12, p. e3832, 2008.

10. *Inserção de pensamento* é a sensação de que outros estão inserindo pensamentos em nossa mente. *Ilusão de controle* é a crença de que nossas ações e impulsos estão sendo controlados por uma força externa (por exemplo, a televisão ou extraterrestres).

11. Charles Darwin parece ter sido o primeiro a fazer um teste desse tipo, apenas expondo dois orangotangos a um espelho. A versão moderna do teste ganhou destaque com o trabalho de Gordon Gallup nos anos 1970.

12. Para um argumento relacionado, ver Alain Morin, "Right Hemispheric Self-Awareness: A Critical Assessment". *Consciousness and Cognition,* v. 11, n. 3, pp. 396-401, 2002.

13. Nora Breen, Diana Caine e Max Coltheart, "Mirrored-Self Misidentification: Two Cases of Focal Onset Dementia". *Neurocase,* v. 7, n. 3, pp. 239-54, 2001.

14. D. Premack e G. Woodruff, "Chimpanzee Problem-Solving: A Test for Comprehension". *Science,* v. 202, n. 4367, pp. 532-5, 1978; C. D. Frith e U. Frith, "The Neural Basis of Mentalizing". *Neuron,* v. 50, n. 4, pp. 531-4, 2006; U. Frith, J. Morton e A. M. Leslie, "The Cognitive Basis of a Biological Disorder: Autism". *Trends in Neurosciences,* v. 14, n. 10, pp. 433-8, 1991; S. Baron-Cohen, *Mind--blindness: An Essay on Autism and Theory of Mind.* Cambridge, MA: MIT Press, 1995; K. Vogeley et al., "Mind-Reading: Neural Mechanisms of Theory of Mind and Self-Perspective". *Neuroimage,* v. 14, n. 1, Pt. 1, 2001; D. C. Dennett, *The Intentional Stance.* Cambridge, MA: MIT Press, 1987.

15. J. Delacour, "An Introduction to the Biology of Consciousness". *Neuropsychologia,* v. 33, n. 9, pp. 1061-74, 1995; E. Goldberg, *The Executive Brain: Frontal Lobes and the Civilized Mind.* Oxford: Oxford University Press, 2001; F. Happe, "Theory of Mind and the Self". *Annals of the New York Academy of Sciences,* v. 1001, pp. 124-44, 2003; Marco Iacoboni, *Mirroring People: The New Science of How We Connect With Others.* Nova York: Farrar, Straus and Giroux, 2008; Maurice Merleau-Ponty. *The Primacy of Perception, and Other Essays on Phenomenological Psychology, the Philosophy of Art, History, and Politics.* Northwestern University Studies in Phenomenology and Existential Philosophy. Evanston, Illinois: Northwestern University Press, 1964; V. S. Ramachandran, "The Neurology of Self-Awareness". Disponível em: <Edge. org>, [s.d.]; Jean-Paul Sartre, *O ser e o nada.* Petrópolis: Vozes, 2005.

16. K. Vogeley et al., "Mind-Reading: Neural Mechanisms of Theory of Mind and Self-Perspective", 1995, e P. C. Fletcher et al., "Other Minds in the Brain: A Functional Imaging Study of 'Theory of Mind' in Story Comprehension", *Cognition,* v. 57, n. 2, 1995, usam a mesma história como estímulo. Saxe e Kanwisher também adotam a mesma abordagem básica: Rebecca Saxe e Nancy Kanwisher, "People Thinking about Thinking People: The Role of the Temporoparietal Junction in 'Theory of Mind". *Neuroimage,* v. 19, n. 4, 2003.

17. Sartre, *O ser e o nada.*

18. Parece óbvio, intuitivamente, que existe uma conexão necessária entre possuir um sentido de self (em contraste com uma percepção perfeitamente não dualista do mundo) e a experiência social da "autoconsciência". O último fenômeno parece ser uma inflexão do primeiro — do mesmo modo que sentir a dureza de um objeto é apenas um caso especial de se sentir sua solidez. Como em tantas coisas do mundo que nos interessam, parece que são poucas as chances de provarmos a ligação de modo rigoroso. Cabe a qualquer um que dissocie os conceitos fazer uma descrição de um caso de autoconsciência que não implique a experiência do sentido de self, e uma experiência de sentimento de self que não admita a possibilidade de autoconsciência.

19. Ramachandran, "The Neurology of Self-Awareness".

20. Jonas T. Kaplan e Marco Iacoboni, "Getting a Grip on Other Minds: Mirror Neurons, Intention Understanding, and Cognitive Empathy". *Social Neuroscience,* v. 1, n. 3-4, pp. 175-83, 2006; I. Molnar-Szakacs, J. Kaplan, P. M. Greenfield e M. Iacoboni, "Observing Complex Action Sequences: The Role of the Fronto-Parietal Mirror Neuron System". *Neuroimage,* v. 33, n. 3, pp. 923-35, 2006.

21. Iacoboni, *Mirroring People,* pp. 132-45; M. Iacoboni e M. Dapretto, "The Mirror Neuron System and the Consequences of Its Dysfunction". *Natural Review of Neuroscience,* v. 7, n. 12, pp. 942-51, 2006.

22. M. Dapretto, M. S. Davies, J. H. Pfeifer, A. A. Scott, M. Sigman, S. Y. Bookheimer e M. Iacoboni, "Understanding Emotions in Others: Mirror Neuron Dysfunction in Children with Autism Spectrum Disorders". *Natural Neuroscience*, v. 9, n. 1, pp. 28-30, 2006.

23. J. S. Mascaro et al., "Compassion Meditation Enhances Empathic Accuracy and Related Neural Activity". In: *Social Cognitive and Affective Neuroscience*, 5 set. Disponível em: <http://dx.doi.org/10.1093/scan/nss095>. Embora as descobertas desse tipo sejam certamente interessantes, a importância dos neurônios-espelho ainda não foi estabelecida. E não devemos esquecer que, apesar da presença de neurônios-espelho em seus cérebros, os macacos não possuem linguagem nem TOM. Também praticamente não demonstram empatia.

4. MEDITAÇÃO [pp. 130-61]

1. M. A. Killingsworth e D. T. Gilbert, "A Wandering Mind Is an Unhappy Mind". *Science*, v. 330, p. 932, 2010.

2. M. E. Raichle et al., "A Default Mode of Brain Function". *Proceedings of the National Academy of Sciences of the USA*, v. 98, n. 2, pp. 676-82, 2001.

3. A. D'Argembeau et al., "Self-Reflection across Time: Cortical Midline Structures Differentiate Between Present and Past Selves". *Social Cognitive and Affective Neuroscience*, v. 3, n. 3, pp. 244-52, 2008; D. A. Gusnard et al., "Medial Prefrontal Cortex and Self-Referential Mental Activity: Relation to a Default Mode of Brain Function". *Proceedings of the National Academy of Sciences of the USA*, v. 98, n. 7, pp. 4259-64, 2001; J. P. Mitchell, C. N. Macrae e M. R. Banaji, "Dissociable Medial Prefrontal Contributions to Judgments of Similar and Dissimilar Others". *Neuron*, v. 50, n. 4, pp. 655-63, 2006; J. M. Moran et al., "Neuroanatomical Evidence for Distinct Cognitive and Affective Components of Self". *Journal of Cognitive Neuroscience*, v. 18, n. 9, pp. 1586-94, 2006; G. Northoff et al., "Self-Referential Processing in Our Brain: A Meta-Analysis of Imaging Studies on the Self". *Neuroimage*, v. 31, n. 1, pp. 440-57, 2006; F. Schneider et al., "The Resting Brain and Our Self: Self-Relatedness Modulates Resting State Neural Activity in Cortical Midline Structures". *Neuroscience*, v. 157, n. 1, pp. 120-31, 2008.

4. K. Vogeley et al., "Neural Correlates of First-Person Perspective as One Constituent of Human Self-Consciousness". *Journal of Cognitive Neuroscience*, v. 16, n. 5, pp. 817-27, 2004. Um estudo comparou diferenças de autorrepresentação entre orientais e ocidentais e constatou que, embora os dois grupos mostrem mais atividade na linha mediana quando aplicam adjetivos pessoais a si mesmos do que a outras pessoas, os participantes chineses do experimento

mostraram o mesmo efeito quando fizeram julgamentos sobre suas mães. Os cientistas interpretaram o resultado como um indício de que os chineses têm uma concepção mais coletivista do "self". Y. Zhu et al., "Neural Basis of Cultural Influence of Self-Representation". *Neuroimage*, v. 34, n. 3, pp. 1310-6, 2007.

5. Y. I. Sheline et al., "The Default Mode Network and Self-Referential Processes in Depression". *Proceedings the National Academy of Sciences of the USA*, v. 106, n. 6, pp. 1942-7, 2009.

6. J. A. Brewer et al., "Meditation Experience is Associated With Differences in Default Mode Network Activity and Connectivity". *Proceedings of the National Academy of Sciences of the USA*, v. 108, n. 50, pp. 20254-9, 2011; Véronique A. Taylor et al., "Impact of Mindfulness on the Neural Responses to Emotional Pictures in Experienced and Beginner Meditators". *Neuroimage*, v. 57, pp. 1524-33, 2011. A psilocibina reduz a atividade também nessas áreas cerebrais, e num grau extraordinário: Robin L. Carhart-Harris et al., "Neural Correlates of the Psychedelic State as Determined by fMRI Studies with Psilocybin". *Proceedings of the National Academy of Sciences*, jan. 2012, p. 23.

7. E. Luders et al., "The Unique Brain Anatomy of Meditation Practitioners: Alterations in Cortical Gyrification". *Frontiers in Human Neuroscience*, v. 6, n. 34, 2012; P. Vestergaard-Poulsen et al., "Long-Term Meditation Is Associated with Increased Gray Matter Density in the Brain Stem". *Neuroreport*, v. 20, pp. 170-4, 2009; S. W. Lazar et al., "Meditation Experience Is Associated with Increased Cortical Thickness". *Neuroreport*, v. 16, pp. 1893-7, 2005; Eileen Luders et al., "Global and Regional Alterations of Hippocampal Anatomy in Long-Term Meditation Practitioners". *Human Brain Mapping*, v. 34, n. 12, pp. 3369-75, 2012.

8. A. Lutz et al., "Altered Anterior Insula Activation During Anticipation and Experience of Painful Stimuli in Expert Meditators". *Neuroimage*, v. 64, pp. 538-46, 2012.

9. F. Zeidan et al., "Brain Mechanisms Supporting the Modulation of Pain by Mindfulness Meditation". *Pain*, v. 31, pp. 5540-8, 2011.

10. R. J. Davidson e B. S. McEwen, "Social Influences on Neuroplasticity: Stress and Interventions to Promote Well-Being". *Nature Neuroscience*, v. 15, n. 5, pp. 689-95, 2012.

11. University of Wisconsin-Madison. Disponível em: <http://www.news.wisc.edu/22370>.

12. C. A. Moyer et al., "Frontal Electroencephalographic Asymmetry Associated With Positive Emotion is Produced by Very Brief Meditation Training". *Psychological Science*, v. 22, n. 10, pp. 1277-9, 2011.

13. S.-L. Keng, M. J. Smosky e C. J. Robins, "Effects of Mindfulness on Psychological Health: A Review of Empirical Studies". *Clinical Psychology Review*, v. 31, pp. 1041-56, 2011; B. K. Holzel et al., "How Does Mindfulness Medi-

tation Work? Proposing Mechanisms of Action from a Conceptual and Neural Perspective". *Perspectives on Psychological Science*, v. 6, pp. 537-59, 2011.

14. J. S. Mascaro et al., "Compassion Meditation Enhances Empathic Accuracy and Related Neural Activity". In: *Social Cognitive and Affective Neuroscience*, v. 8, n. 1, pp. 48-55, 2012.

15. O. M. Klimecki et al., "Functional Neural Plasticity and Associated Changes in Positive Affect after Compassion Training". *Cerebral Cortex*, v. 23, n. 7, pp. 1552-61, 1991.

16. M. E. Kemeny et al., "Contemplative/Emotion Training Reduces Negative Emotional Behavior and Promotes Prosocial Responses". *Emotion*, v. 12, pp. 338-50, 2012.

17. M. Sayadaw, *Buddhist Meditation and Its Forty Subject*. Trad. inglesa de U Pe Thin. Buddha Sasana Council Press, 1957; M. Sayadaw, *Thoughts on the Dhamma*. Kandy, Sri Lanka: Buddhist Publication Society, 1983; M. Sayadaw, *The Progress of Insight*. Trad. inglesa de Nyanaponika Thera. Kandy, Sri Lanka: Buddhist Publication Society, 1985.

18. Ramana Maharshi, *Talks with Sri Ramana Maharshi*. Tiruvanamallai: Sri Ramanashramam, 1984, p. 314.

19. David Godman (Org.), *Be as You Are: The Teachings of Sri Ramana Maharshi*. Nova York: Arkana, 1985, p. 55.

20. Ernst Mach, *The Analysis of Sensations and the Relation of the Physical to the Psychical*. Chicago: Open Court, 1914, p. 19.

21. Douglas R. Hofstadter e Daniel C. Dennett, *The Mind's I: Fantasies and Reflections on Self and Soul*. Nova York: Basic Books, 1981, pp. 23-33.

22. Ibid., p. 30.

5. GURUS, MORTE, DROGAS E OUTROS ENIGMAS [pp. 162-212]

1. *The Gateless Gate* (Japonês: *Mumonkan*). Disponível em: <http://www.sacred-texts.com/bud/zen/mumonkan.htm>.

2. Georg Feuerstein, *Holy Madness: Spirituality, Crazy-Wise Teachers, and Enlightenment*. Ed. rev. e expandida. Prescott, Arizona: Hohm Press, 2006, p. 108.

3. Frances Fitzgerald, *Cities on a Hill*. Nova York: Touchstone, 1981.

4. Peter Marin, "Spiritual Obedience". *Harper's*, fev. 1979, p. 44.

5. Eliot Weinberger, *Works on Paper*. Nova York: New Directions, 1986, p. 31.

6. Chögyam Trungpa Rinpoche, *Cutting Through Spiritual Materialism*. Boston: Shambbhala, 1987, pp. 173-4.

7. Ver, p. ex., <https://www.youtube.com/watch?v=otGQqO2TYMI>.

Osho não foi, nem de longe, o pior que a *new age* tinha a oferecer. Não há dúvida de que ele prejudicou muitas pessoas ao final — e talvez no começo e no meio também —, mas ele não era somente um lunático ou um charlatão. Osho me pareceu um homem bem perspicaz, que tinha muito a ensinar, mas que se inebriou com o poder do seu papel e acabou enlouquecendo com ele. Quando alguém passa seus dias cheirando óxido nitroso, exigindo uma felação a cada 45 minutos, dando pedaços de suas unhas cortadas como presentes sagrados e comprando seu 94º Rolls Royce, é de se imaginar que essa pessoa tenha se desviado um ou dois passos do caminho da libertação.

8. Sam Harris, *The End of Faith*, pp. 295-6 [Ed. port.: *O fim da fé*. Lisboa: Tinta da China, 2007].

9. G. D. Falk, *Stripping the Gurus*. Toronto: Million Monkeys Press, 2009.

10. Ver, p. ex., D. Radin, *The Conscious Universe: The Scientific Truth of Psychic Phenomena*. Nova York: HarperEdge, 1997.

11. E. F. Kelly et al., *Irreducible Mind: Toward a Psychology for the 21st Century*. Nova York: Rowman and Littlefield, 2007, p. 32.

12. Ibid., p. 374.

13. Ibid., p. 371.

14. Até as supostas evidências de renascimento — por exemplo, quando se alega que uma pessoa, geralmente uma criança, se recorda de fatos que provam que ela é a personalidade reencarnada de um falecido — parecem impossíveis de desenredar da questão dos fenômenos "psi".

15. Eben Alexander, *Proof of Heaven: A Neurosurgeon's Journey into the Afterlife*. Nova York: Simon & Schuster, 2001, citação na sobrecapa [Ed. bras.: *Uma prova do céu*. Rio de Janeiro: Sextante, 2013].

16. Eben Alexander, "Heaven is Real: A Doctor's Experience of the Afterlife". *Newsweek*, 2012.

17. Andrea E. Cavanna et al., "The Neural Correlates of Impaired Consciousness in Coma and Unresponsive States". *Discovery Medicine*, v. 9, n. 48, pp. 431-8, 2010.

18. Alex Tsakiris, "Neurosurgeon Dr. Eben Alexander's Near-Death Experience Defies Medical Model of Consciousness". Skeptico. 22 nov. Disponível em: <http://www.skeptico.com/154-neurosurgeon-dr-eben-alexander-near-death-experience/>.

19. Terence McKenna, *Food of the Gods*. Nova York: Bantam Books, 1992, pp. 258-9.

20. As diferenças gerais entre neurocirurgiões e neurocientistas talvez expliquem alguns dos erros de Alexander. É facílimo ver a distinção das especializa-

ções quando observadas do outro lado: se dessem a um neurocientista uma furadeira e um bisturi e lhe mandassem operar o cérebro de uma pessoa viva, o resultado seria pavoroso. De um ponto de vista científico, o desempenho de Alexander não é mais bonito. Ele sem dúvida matou o paciente, mas não interrompeu as perfurações. Aliás, ele pode ter ajudado a matar a *Newsweek*, que logo após o artigo dele anunciou que não publicaria mais edições impressas.

21. Hoje uma vasta literatura indica que a MDMA pode danificar neurônios produtores de serotonina e diminuir os níveis de serotonina no cérebro. Existem, porém, argumentos dignos de crédito afirmando que esses estudos se basearam em controles ruins ou em dosagens em animais de laboratório que eram altas demais para servir de modelo ao uso humano da droga.

22. Robin L. Carhart-Harris et al., "Neural Correlates of the Psychedelic State as Determined by fMRI Studies With Psilocybin". *Proceedings the National Academy of Sciences of the USA*, 20 dez. 2011. Disponível em: <http://www.pnas.org/content/early/2012/01/17/1119598109>.

23. Terence McKenna é uma pessoa que lamento não ter conhecido bem. Infelizmente, ele morreu de câncer em 2000, aos 53 anos. Seus livros são muito bons, mas acima de tudo ele era um orador excepcional. É verdade que muitas vezes sua eloquência o levou a adotar posições que só podem ser classificadas (e com leniência) de "excêntricas", mas ele era inegavelmente brilhante e sempre valeu a pena ouvi-lo.

24. É importante salientar que a MDMA não costuma ter essas propriedades — e muita gente diria que não devemos considerá-la uma substância psicodélica. Os termos *empatógeno* e *entactógeno* têm sido usados para designar a MDMA e outros compostos cujo efeito é principalmente emocional e pró-social.

25. Devo dizer, porém, que existem experiências psicodélicas que eu não tive e que parecem transmitir uma mensagem diferente. Algumas pessoas têm experiências que, em vez de serem estados nos quais se dissolvem as fronteiras do self, parecem transportar o self (em alguma forma) para outro lugar. Esse fenômeno é muito comum com a droga DMT e pode levar seus iniciados a algumas conclusões surpreendentes sobre a natureza da realidade. Mais do que ninguém, Terence McKenna foi influente em dar destaque à fenomenologia da DMT.

A DMT é única entre as substâncias psicodélicas por várias razões. Todos que a experimentaram parecem concordar que ela é o alucinógeno mais potente disponível no que diz respeito a seus efeitos. É também, paradoxalmente, o de ação mais curta. Enquanto os efeitos do LSD podem durar dez horas, o transe da DMT acontece em menos de um minuto e se amaina em dez. Uma razão para essa farmacocinese abrupta parece ser o fato de que esse composto já existe no cérebro humano e é rapidamente metabolizado pela monoaminoxidase. A DMT está na mesma categoria química que a psilocibina e o neurotransmissor serotonina (mas, além de ter afinidade com receptores 5-HT2A, mostrou-se que ela se liga ao receptor sigma-1 e modula canais de Na+). Sua função no corpo humano ainda é desconhecida. Entre os muitos mistérios e afrontas da DMT está uma decisiva zombaria às nossas leis antidrogas: não só criminalizamos substâncias que ocorrem naturalmente, como a *Cannabis*, mas também um de nossos neurotransmissores. Muitos usuários de DMT relatam que, por influência dessa droga, foram lançados em uma realidade adjacente onde extraterrestres vieram ao seu encontro, com a intenção aparente de compartilhar informações e demonstrar o uso de tecnologias inescrutáveis. A convergência de centenas de relatos nessa linha, muitos deles de pessoas que usavam a droga pela primeira vez e não sabiam o que esperar, é sem dúvida interessante. Também vale a pena ressaltar que esses relatos são quase isentos de imagens religiosas. Parece ser bem mais provável que alguém que use DMT encontre extraterrestres ou elfos do que santos ou anjos tradicionais. Nunca experimentei DMT nem tive nenhuma experiência do tipo das descritas por usuários da droga, por isso não sei como interpretar o fato.

26. Obviamente, James se referia às suas experiências com óxido nitroso, que é um anestésico. Outros anestésicos, como o cloridrato de cetamina e o cloridrato de fenciclidina (PCP), têm, em baixas doses, efeitos semelhantes sobre o humor e a cognição. No entanto, essas drogas diferem dos psicodélicos clássicos em muitos aspectos — um deles é o fato de que doses elevadas desta última não produzem anestesia geral.

27. William James, *The Varieties of Religious Experience*. Nova York: New American Library, 1958, p. 298.

Índice remissivo

Os números de página em *itálico* se referem a ilustrações. Um *n* em seguida a um número de página se refere à seção de notas.

1ª EDIÇÃO [2015] 4 reimpressões

ESTA OBRA FOI COMPOSTA EM MINION PELO ACQUA ESTÚDIO E
IMPRESSA PELA GRÁFICA BARTIRA EM OFSETE SOBRE PAPEL PÓLEN
DA SUZANO S.A. PARA A EDITORA SCHWARCZ EM MAIO DE 2024

A marca FSC® é a garantia de que a madeira utilizada na fabricação do papel deste livro provém de florestas que foram gerenciadas de maneira ambientalmente correta, socialmente justa e economicamente viável, além de outras fontes de origem controlada.